Successful Wishing

宇宙に上手に
お願いする法

ピエール・フランク著
Pierre Franckh

中村智子訳
Tomoko Nakamura

サンマーク出版

願いはかないます。

私たちは絶えず何かを願っています。

そして気づかぬうちに望まぬことまで願い、
かなえてしまっています。

望まぬことはかなえず、望んだことだけをかなえる。
願い方には方法があるのです。

あなたの望みは何ですか？

あなたは人生で何を実現させたいですか？

『宇宙に上手にお願いする法』◉目次

★第二の法則

正しい言葉で願う

★第三の法則

感謝する

★第四の法則

「願えばかなう」と理性に納得させる

★第五の法則

疑わず信頼する

★第六の法則

「偶然」を受け入れる

★第七の法則

本当に大切な願いを見つける

★エピローグ

本当に幸せな人生

装　幀／重原　隆
編集協力／逍 遙 舎
D T P／onsight

★プロローグ

願いは必ずかなう

★願いはリクエストしたとおりにかなう

★成功する人は疑わず、いつもポジティブな気持ちで目標を見つめている

★期待がしばしば裏切られるのはどうせ無理だと思っているから

★願いには七つの法則がある

★願いに制限はない。自分の頭が限界をつくるのだ

★願いは実現される。ではあなたは人生で、何を実現させるべきだろう?

幼いころは誰もがお願い上手

私の願いがはじめてかなえられたのは、六歳のときでした。天使に宛《あ》ててカードに願いごとを書き、母に見つからないよう、そっと隠しておいたのです。すると願いがかない、私は欲しかった自転車を手に入れることができました。しかも、望んだとおりの色で、きちんとネズミの絵のついたベルまでついていました。

九歳になるころには、自分の願いはかなうと、疑いもなく思っていました。こうして、カードに書いたたくさんの願いは、次々にかなえられていったのです。当時の私は、奇跡は信じるものではなく、起こるものだと考えていました。

それでも、少年の私は絶対に起こりえない「とんでもないお願い」が本当にかなうかどうか、試してみることにしました。天に向かって、「キャストとして名前が載るようなすごい役で、映画に出演させてください」とお願いしたのです。そのとき、カードには「みんなから注目されて……」ということも書きました。するとその年、主役の相手役で映画に出演することになったのです。「奇跡だ」、両親はそう思っていたようですが、私は信じてまじめにお願いしたおかげだと考えていました。

この出来事は、私にとても重要なことを教えてくれました。なぜなら、願いがかないすぎて残念な結果を招いてしまったからです。つまり、私は小さいけれども決定的なまちがいを犯してしまったのです。映画でみんなから「見られたい」と私はカードに書きましたが、「声を聞いてほしい」とは書きませんでした。そのせいで、撮影中に思いもよらないことが起こりました。私が演じる地方出身の少年に方言をしゃべらせようと監督が言い出し、声を吹き替えることになったのです。これは、驚きでした。自分が映画の中で、他人の声で話をするなんて。はじめて大きな役をもらい、願いどおり注目はされたものの、私は観客に自分の声を聞いてもらうことはできませんでした。

お願いは正しく行わなければならないのです。正しく願わないとどういうことになるか、これでよくおわかりいただけたでしょう。

それからしばらくの間、私は天に向かって悪口を言っていました。しかし、天にはどうすることもできなかったのです。なぜなら、天は私とは違う言葉を使っていたのですから。私にとって何がよいことで、何が悪いことなのか、天にはわかりません。世の中がどういうものかということも知らず、ただ、私の命令をそのまま実行に移しただけなのです。そのことに気づいてからというもの、私には疑いがなくなりました。

子どものころは、**願いは頼んだとおりにかなう**ということがよくわかっていました。幼いころは、じっと待っていれば思ったとおりに願いがかなえられていました。

しかし、少年は成長し、青年になりました。**小さなころは奇跡が何かを心得ていたのに大人になるにつれて少年は、奇跡を疑う「現実主義者」となっていったのです。**

思春期に入り、大人の言うことを信じるようになり、私の「願う」才能はしだいに影を潜めていきました。大人の世界で何かを成し遂げ、誇れる自分になろうと考えるようになったのです。そして、外からの援助、とくに「天」からの手助けをバカバカしい、恥ずかしいと感じ、奇跡を受け入れることをやめてしまいました。すると、人生は困難なものとなり、克服しがたい障害にたびたびぶつかるようになったのです。それらと戦っていくうちに、私はしだいに他人と自分を比較するようになり、こう考えるようになりました。

「どうやら自分はいつも不利な立場にいるぞ」と。

こうして世の中は不公平だと確信するようになったのです。何をやってもうまくいかない人がいる一方で、幸運ばかりをつかむ人がいる。うまくいく人といかない人は、どこが違うのだろう？

この問いに対する答えを見つけたとき、私の人生は変わりはじめました。きっかけは、

『ミラクルズ（Miracles／Stuart Wilde）』（スチュワート・ワイルド著／邦訳未刊）という小さな本が、たまたま目に留まったことでした。その本には、私の子ども時代の体験とまったく同じことが書かれていました。スチュワート・ワイルドは、この独特な願いの形を「リクエスト」と呼んでいました。なんとすばらしく的確な表現でしょう。「リクエスト」はいつ誰にでも作用すると彼は言っています。

深く感銘を受けた私は、子ども時代を振り返ってみました。あのころ、スチュワート・ワイルドが言っていた奇跡は、可能なことだったのです。まさしく、思いのままになっていました。

ところで、どうして子どもの魂だけが奇跡を起こすことができるのでしょう？　なぜ、大人の魂ではダメなのでしょうか？

もしかしたら、人生はそんなに不公平ではないのかもしれません。成功する人とそうでない人の違いがあるとすれば、それはただ単に、自分自身と願いを信じるかどうかの違いだけではないでしょうか？　成功する人は、願ったことはかなうと知っているにすぎません。彼らにとって、考えたことがいつも実現するのは、普通のことなのです。では、彼らが「考えている」ことは、他の人と違うのでしょうか？　じつは**成功する人は疑わず、い**

つもポジティブな気持ちで目標を見つめているのです。

意識的に目標を見据えて願う人と、結果を生み出すのは自分自身であることにも気づかずに、無意識に願う人との間には、常に違いがあるのです。

スチュワート・ワイルドの本によって、私の人生はまったく変わりました。それからというもの、私は再び数え切れないほど祈り、成功を収めてきたのです！　ただ願いさえすればいい――人生はこんなにもシンプルなのです。とはいっても、いくつかの小さなコツを学ばなければなりません。なぜなら、たとえ願ったとしても、まちがいを犯したり、うまくいかないことがあるからです。

願うことにも訓練が必要

願いはかないます。いつ、どんなときでも、今この瞬間にも。しかも、どんなことでも。しかしこれは、私たちが抱える不安もいっしょにかなえられてしまう、ということを意味しています。劣等感があると、それが現実となります。なぜなら、たとえ本人が意図していなくても、劣等感も願いとして実行されてしまうからです。

そこで、私はじっくり自分自身と向き合うことにしました。というのも、自覚していない願いとはどのようなもので、どのようにしたらそれをコントロールできるのか、ということを知りたかったからです。**期待がしばしば裏切られるのはどうせ無理だと思っているからなのです。**

宇宙は、よいことと悪いことの区別ができません。ただ願いを運んでくるだけです。願いが実行されるとき、私たちの人生にポジティブな結果をもたらそうが、ネガティブな結果をもたらそうが、宇宙にとってはどうでもよいことなのです。宇宙は、公平と不公平、善と悪、ポジティブとネガティブといった考え方はしません。私たちが想像したものを届けてくれるだけなのです。

ところで、宇宙とはいったい何でしょうか？　宇宙とは、私たちの願いを現実にしてくれる、巨大な通信販売会社だと思えば、わかりやすいかもしれません。願いごとをすると、その願いは処理され、出荷されるのです。

後の章で、願いが実現する物理的なメカニズム――どのようにしてエネルギーが形となって私たちの前に現れるか――についてふれます。しかし、正しい願い方を学んでいる今の段階では、宇宙の通販だと考えるのが一番わかりやすいでしょう。そう思っていれば、自由に願えるというものです。そのような遊び心をもった願いは、早くかなえられます。

やましい気持ちをもたず、気楽に取り組むために、次の二点を覚えておいてください。**一つは「いつでもすべてが思いのままになる」ということ。そして二つ目は「私たちが何かを手に入れても、他の人の分もちゃんと残っている」ということです。**

この三十年間で、私は「上手に願う」ことがどのように機能しているかについて、たくさんのことを学んできました。

そして、自分や他人の経験と失敗から、**願いには七つの法則がある**ことが、だんだんわかってきたのです。この法則は、私たちを願いの人生へと導く手助けをしてくれるものです。**正しい方法で願えば、どんな願いもかなえられます。**難しいことであろうが、不可能に思えることであろうが、いくらでも願うことができるのです。お金、家、車はもちろん、パートナーや仕事、そして愛にいたるまで。これほど魅力的なことはありません。

願いに制限はありません。あるとすれば自分の頭で限界をつくり出しているだけなのです。私たちはこの制限された考えで、日々の世界を自らつくり出しています。ところが、大人はそのことを知らない、あるいは知ろうとしないために、たいていの人は自分のつくり出した世界にとても不満を感じています。

「自分で設けた限界をなくすことは、可能なのでしょうか?」

「どうすれば、他から影響を受けることなく、本当に欲しいものを正確に願うことができますか?」

「人生からいやなことをなくし、届けられたものをしっかり受け取るためには、どうすればよいのでしょう?」

これらの問いはすべて、私が講演で何度となく受けた質問です。しかし、最終的に問題となるのは、どうやったら奇跡を自分の人生に迎え入れることができるか、ということです。**願いは必ずかないます。ですから、何を実現させるかを考えることが重要になってく**

るのです。

私は「上手に願おう」の講演をくり返しているうちに、さらなる好奇心がわいてきました。というのも、願いをかなえる方法について、ありとあらゆる情報を得て実践してみたものの、うまくいかずにあきらめてしまった人がたくさんいたからです。

私は驚きました。私の人生においていつの間にか当たり前になっていたことが、他の人にはそうではなかったのです。私が語れば語るほど、質問の数は増えていきました。同じように、私もその人たちにどのように願っているのか質問してみました。すると、**どうしてうまくいかないのか、どこにまちがいがあるのか、だんだんはっきりしてきたのです。**

こうして私は、「上手に願う」ための本を書いてほしいと、たびたび頼まれるようになり、この本ができあがったのです。

それでは、これからその「上手に願う」ための「七つの法則」をお話ししていくことにしましょう。

★第一の法則

まず、
「小さな」お願い
から始める

★成功への信念が、成功をもたらす

★受け入れるのも、妨げるのも私たちの想像力次第

★エネルギーは注意の向いているほうに発せられる

★一人で懸命に努力するよりも宇宙といっしょに働くほうが大事

「上手に願う」ための一番よい方法は、何はともあれ、**まず始めること。それも小さなことから。要は、すばやく成果を収めようというわけです。**

どうすれば、もっとも早く成果を得られるのでしょうか？

それは、小さなお願いをすることです。

では、どうして「小さな」願いごとなのでしょうか？

なぜなら、何にもとらわれることなく、軽い気持ちで取り組むことができるからです。

重要なことでなければ、それだけ不安も小さくてすみます。それに、願いの要点をはっきりさせることができるし、すぐに忘れてしまうこともできます。**忘れるということは、思いを手放し、エネルギーの旅に送り出すという意味です。**私たちは、ささやかな思いに対しては、願いはかなう、と気楽に信じるものですが、まさしく、この信頼する気持ちこそが、上手に願うポイントなのです。なぜなら、信頼によって信念がもたらされるからです。

大切なのは、願いごとへの信念だけだといってもいいでしょう。成功への信念が成功をもたらすのです。信念は、願いごとに絶えずエネルギーを与え、「信仰は山をも動かす」

の言葉どおり、超人的なことを成し遂げる力となるのです。

理性は奇跡を起こさない

信念とは反対に、理性というのは物事を理論的に判断します。そして、願いごとはかなわない、と私たちを説得にかかります。ポジティブな経験や、成功の体験を積み重ねていかなければ、願いはかなえられると納得できないのです。理性は学習能力がとても高いのですが、経験したことや理解したこと以外は、認めることができません。

それゆえ、理性は奇跡を起こすことはできないのです。それどころか、起こりうるあらゆる奇跡を、徹底的に取り払おうとします。理性の世界観に合わないことは、存在してはならないのです。後の章で（ちょっとした科学的な考察をもとに）お話ししますが、願いはかなわないものではありません。常に、それも例外なしにかなうものなのです。ですから、**もし理性が再び疑いをかけてきたら、きっぱりと理性に対抗しましょう**。

一つ、はっきりさせておきたいことがあります。それは、どんな大きな願いごとも、小さな願いごとと同様に、必ずかなうということです。宇宙にとって、願いの大きさは関係ないのです。**受け入れるのも、妨げるのも私たちの想像力次第なのです。**

大きな願いごとをするとき、私たちは頭のどこかで、本当に願いがかなうわけがない、と考えています。そのため、無意識のうちに、願いにとても大きなマイナスの力を与えてしまっています。

反対に小さな「奇跡」の場合は、ひょっとしたら何かの偶然で起こるかもしれない、と思っています。「下手な鉄砲も数打ちゃ当たる」というわけです。

でも、このはじめの小さな「奇跡」に、さらに小さな奇跡が続くと、それは奇跡ではなくなり、願いがかなったんだと思うようになるかもしれません。奇跡が四回、五回と重なれば、それはしだいに確信へとつながっていくことでしょう。すると、私たちの理性は、どうやら理屈では説明できない何かがあるらしいと悟り、それに順応して記憶します。そして、突然新しい世界を受け入れるようになるのです。つまり理性は、「願いはかなうものだ」ということを理解し、しだいに自分がかなえたと感じるようになるのです。

すると、私たちは次に掲げる、もっとも重要な物理の法則を信じるようになります。

☆エネルギーは注意の向いているほうに発せられる。

「もし、これが真実ならば、思い切って大きなことも願ってみよう」理性はそう考えるでしょう。しかし、さしあたり重要なのは、理性を十分に納得させることです。それには、とりあえず小さな願いごとから始めるのが一番の早道です。そのとき、一つだけ注意してほしいのは、迷わずに続けることです。

そのためには、小さな実験から始めてみましょう。「ほら、うまくいくぞ」と理性に見せてやるための成功体験や、「やっぱり、うまくいくはずがない」という凝り固まった信念をほぐす強力な何かが、私たちには必要なのです。

練習が名人をつくり出す

意識して「上手に願う」技術に関しては、私たちはみな初心者です。そこでまず、職人の「見習い」に学んでみましょう。たとえば金細工師の場合、「見習い」は、はじめから高価なダイヤの首飾りを任されることはありません。でも、それを百も承知で修業を積み、ついには失敗の許されない高価な品も、うまく扱えるようになるのです。

これは、私たちのめざすところでもあります。小さな願いと同じように、大きな願いもやってのけ、願いどおりの結果を得る。そのためには、**まずは小さな願いごとで練習し、経験を積むのです**。経験を積むというのは、まちがいをして、そこから学ぶということです。ちょうど、私が映画の役で失敗したあのときのように。では手始めに、簡単に成功を収められることで、練習してみましょう。

駐車場をリクエストする

たとえば、いつも混んでいて車を止めることのできない、駐車場なんてどうでしょう？

この練習には二つのメリットがあります。

【メリット1】

駐車場を探すことは、もっとも簡単な練習です。なぜなら、危険や深刻さを感じず気軽にできるからです。思いどおりに駐車できなかったからといって、考え方がぐらつくこともないでしょう。その程度の願いなら、あなたの心を支配する理性も、危機感を覚えて対抗措置をとることもありません。そこが肝心なのです。

それに、駐車場のような軽い対象なら、成功しようが失敗しようがさほど大きな意味はもちません。

【メリット2】

駐車場を探す程度のことは、「自分にはもったいない」と思うような願いとはいえません。ところが、重要なことなると、そうはいきません。私たちは、本当に重要なことはいとも簡単に疑い、それは無理なことだとすぐに信じ込んでしまうものです。なぜなら、そのようなすばらしいことを授かる権利など自分にはない、と心の中で確信しているからです。その願いがかなうほど、自分は美しくもないし、賢くもないし、金持ちでもないし、聡明《そうめい》でもない――そう決め込んでしまっているのです。

しかし、駐車場を探すことに、そんなに大まじめに取り組む人はいません。そこをうまく利用しようというわけです。

でも、どうやって？

宇宙にも準備は必要

家を出るときに、私は短い祈りを差し向けます。話しかける相手は天使です。もちろん、「天の神さま」「親愛なる宇宙」「親愛なる奇跡のエネルギー」など何でもかまいません。

肝心なのは、誰に話しかけるかではなく、うまく話すことです。私の場合は、天使に願うのが一番うまくいきます。天使だと、身近な感じがして心を許せるからです。呼びかける相手に誰を選んだとしても、**大切なことは、ちゃかしたり、疑ったり「上手に願う」ことをナンセンスだとして片づけないことです。**私たちは駐車場を見つけようとしていますが、これは実験です。このとき、とうてい無理だと思えるようなことを試しに願ってみてもいいでしょう。

「親愛なる天使さま。私は〇〇通りの駐車場に車を止めます。その駐車場はすでに私の場所と決まっておりますが、ちょうど私が到着するときにそこに止められますよう、お願い申し上げます」

祈りは、到着寸前にしないほうがいいでしょう。というのも、宇宙にも何らかの準備が必要だからです。出がけにお願いの言葉を唱えるのが一番です。

すると、うまくいくのです！

今から信じてみましょう。そして、私たちの願いの力を試してみましょう。人生がいかに単純かがわかるはずです。目的地に向かう途中では、なるべく駐車場のことは考えないようにします。一番いいのはまったく考えないこと。なぜなら、上手に願う練習をそれほど積んでいない状態では、すべてが最良の方向に動くという確信よりも、むしろ自分自身に対する疑いの念が生じてしまうからです。

いずれにしても、私たちが車で目的地に到着するときには、奇跡が起こることでしょう。駐車場はすでに空いているか、ちょうど車が出ていくかして、私たちの場所は確保されるのです。

祈るようになってから、私も、パートナーのミヒャエラも、駐車場の問題で頭を悩ますことはなくなりました。ここ何十年間ずっと！　私たちは、気負わずにさりげなくお祈りをしています。なぜなら、私たちは宇宙とつながっていて、願いがやってくると知っているからです。

ときには、こんなこともしてみます。駐車場を見つけられないとき、「天」にたずねたり、サインを示してくださいと頼むのです。すると、誰かがクラクションを鳴らしてくれたり、駐車場が空いている方向に目立つ合図を送ってくれたりして、やはりうまくいくのです。

とはいえ、いつもパーフェクトというわけにはいきません。私たちも、ときには祈り忘れてしまうことだってあります。すると、どこも満車で、私たちは大笑い。そんなとき、私はミヒャエラにたずねるのです。

「リクエストするのが遅すぎたんじゃないの？」

彼女は彼女で「あなたがもうとっくにお願いしたと思ってたのよ」と、いつも同じ答えを返してきます。

これが、祈るか祈らないかの違いなのです。**一人で懸命に努力するよりも宇宙といっしょに働くことが大事なのです。**

そうです。思いどおりにできる力を使うのです。たとえそれが、駐車場のような単純なことであったとしても。

小さなお願いが当然のようにかなえられているおかげで、もう長いこと、私たちは日常生活で楽をさせてもらっています。この小さな「奇跡」だけで、本を一冊書き上げることさえできるでしょう。

お願いした植物も譲り受ける

数年前のことですが、私たちは、快適な我が家に置く植物を探していました。大きなもの、できれば天井に届くくらいの高さのものが欲しいと思っていました。ホームセンターや園芸店などへ足を運ぶうちに、すぐにわかりました。私たちが探しているような植物は、予算をはるかに超えた、大変高価なものだったのです。美しい植木鉢は言うに及ばず、大きく生長したヤシなどの植物も、かなり値の張るものでした。

私たちに残された道はただ一つ。祈り、感謝して、信じることでした。

すると、一週間後に電話が鳴りました。ある友人が、大きな会社の破産管財物が売りに出ているのでいっしょに見に行かないか、と誘ってきたのです。オフィス家具には興味はなかったのですが、きっと何か手伝うことがあるだろうと思い、いっしょについていきました。

目的地に着くと、美しい巨大な植木鉢と背の高い植物が、私たちに微笑《ほほえ》みかけているではありませんか。引き取り手がなかったその植物を、私たちは破産管財人からただも同然で譲り受け、トラックを借りてその日のうちに戻りました。植物は予想以上に大きく、家の中を片づけて場所をつくってやらなければならないほどでした。

みなさんも、このような**小さな願いごとをして、成果を収めてみましょう。そして自分自身と理性を納得させ、信頼を手に入れるのです。そうすれば、安心して大きな願いごとにも取り組めるようになるでしょう。**

まずは、やってみることです。はじめはこっけいに見えるかもしれません。でも、それは理性があなたをこっけいに思っているだけ。「奇跡」を起こすのは理性ではない、ということを忘れてはなりません。

★第二の法則

正しい言葉で願う

★「〜したい」ではなく、「〜である」と願おう

★未来形ではなく現在形でお願いする

★望んでいるものはすでにある

★避けようとすると不安がそれを引き寄せる

★否定形で状況を変えることはできない

★書き記すことで願いをはっきり示す

★願いは努力する価値がある

★すべてを失っても願うことはできる

★成功はさらなる成功を呼ぶ

★文章は二つか三つに短くまとめる

「〜である」の法則

願うときに、よくある過ちは、言葉の選択が適切でなかったために、意図したこととはまったく違うメッセージを送ってしまうことです。よい結果を期待しているのに、それに近づくことはおろか、今、自分が置かれている不幸な状態がずっと続くような願い方をしてしまうのです。

たとえば、お金がたくさん欲しい場合、私たちは、「金持ちになりたい」と祈ります。でも、これは完全にまちがった願い方です。このように願うと、「金持ちになりたい」という状態がもたらされてしまいます。もう、おわかりですね。「〜が欲しい」というのは「〜を持っていない」ということなのです。これをくり返していくうちに、私たちは欠けているものをどんどん増やしていってしまうというわけです。**「〜したい」ではなく、「〜である」と願いましょう。**この場合、正しい表現は次のようなものです。

「裕福になる心の準備はできています」

「裕福で幸せです」

「私のお金はすでにあって、私のところへくる最良の道を見つけているところです」

つまり「裕福になりたい」ではなく、「裕福です」というふうに願うべきなのです。

パートナーとの幸せな関係を築きたいとき、「人生の本当のパートナーが欲しい」「真のパートナーとの出会いが欲しい」などと願ってはなりません。こういう表現をしていると、状況はいつまでたっても変わりません。なぜなら、宇宙は私たちが何かを欲しがっていると理解すると、「欲しい」状態そのものを送ってくるからです。宇宙には、現在と未来の違いがわからないので、私たちが考えたり感じたりしていることが、そのまま運ばれてくるのです。では、私たちはどのように願えばよいのでしょうか？

未来形ではなく現在形でお願いするのです。「幸せになるつもりです」と願うと、残念ながら「つもり」の状態が続いてしまいます。宇宙は、何かを「欲しい」というのが私たちの願いだと解釈してしまうのです。ですから、「幸せです」と願えば、幸せな状態がもたらされるわけです。

「愛を受け入れる準備はできています」と、心の扉を開いてみましょう。そうすれば、もうパートナーを探し回る必要はなくなります。「私に合ったパートナーはすでに存在し、今、私の人生に現れるところです」と願えば、そのとおりの人物が現れるのです。

すでにかなったように振る舞う

リビングルーム用の棚が欲しいとします。一番よい方法は、古い棚を空にして誰かにあげるなり、取りに来てもらうなりして処分することです。そうすることで、私たちは新しい棚を宇宙の通販会社から「買った」ことになります。新しい棚はもう存在しており、後はリビングルームに置かれるのを待つだけなのです。

「すでにかなったように振る舞う」と、宇宙は何らかの手を打たなければならなくなります。はっきりとした願いを思い描けば描くほど、宇宙は想像と現実の間の奇妙なアンバランスを、急いで調整しなければならなくなるのです。

望んでいるものはすでにあると考えると、私たちの願いの力は著しく増加します。なぜなら、発信されたエネルギーが強いため、私たちのリクエストは通販会社の「担当者」のリストの一番上に来るからです。棚でも、お金でも、新しいパートナーでも、何でもリクエストすることができます。

私たちが、あたかも金持ちのように、あるいは理想のパートナーがいるように振る舞えば振る舞うほど、願いは早くかないます。なぜなら、そうすることによって、とても強いエネルギーが絶え間なく発信されるからです。こうして私たちは、望むとおりの状況を手に入れようとしているのです。

だからといって、金持ちになりたいなら、お金をどんどん使い、預金を引き出しなさい、といっているのではありません。そうではなくて、裕福になったように感じることで、裕福であることを自分の人生の一部分にしてしまうのです。

あたかも願いがかなったかのように振る舞うと、その願いの力を強めることができますが、「すでにかなったように振る舞う」ことがどうしてそんなに重要なのでしょうか？それは、そうすることによって、私たちが「来るもの」に対してポジティブに取り組み、わくわくしながら受け入れる準備をするからです。

疑うことをやめて強く信じ、願っている状態がいかにすばらしいものかを、ただ感じてみましょう。それと同時に、理性に口出しさせないようにするのです。理性が、そんなこと不可能だと説得しようとしても、気にすることはありません。私たちは「願いがかなったら、こうなるんだ」という感覚をすでに味わっているわけですから、そこから生まれる喜びの気持ちとみなぎる活力で、理性に対抗するのです。こうして感情は、理性の反論に打ち勝つぐらい強いものとなっていきます。

そのような感覚を味わうことによって、私たちの願いは強められ、そう簡単にはゆらがなくなります。

そうすると、不満も、満ち足りた気持ちへと変化していきます。私たちは、望むものはすでにもっています。なぜなら、生まれつきそれを手に入れる権利があるからです。だから、もうこれ以上、感情的な苦しみや経済的なつらさを自ら生み出したりするのは、やめましょう。そして、一つひとつの出来事や出会いを、願いに近づくための一歩として受け入れるのです。

宇宙は否定形を知らない

心配ごとをたくさん背負った願いには、用心したほうがいいでしょう。不安は巨大な磁石のようなものなのです。**避けようとすると不安がそれを引き寄せるからです。**

「不安」には、いろいろな感情が入り交じっています。ですから、不安の中には並外れた強いエネルギーが潜んでいます。さらに私たちは、心配すればするほど、そこに注意を払います。つまり、最悪のシナリオを細かく思い描いては、何度も考えをめぐらせてしまうのです。

私たちは、幸せなことよりも、心配なことのほうに目を向けます。その結果、何もかもが順調なときでさえ、それに気づかず、陰気な不安のエネルギーの中に自ら浸ってしまうのです。

また、エネルギーは、常に、注意がうながされているほうに向かいます。よいことであれ、悪いことであれ、気にかけている出来事を引き寄せるのです。

ですからいやなことを引き寄せてしまわないように、注意しなければなりません。**避け**

たいことほど向かってくるのです。

不安を抱きながら願っているときは、実際には何かを避けようとしています。どんなにポジティブな言葉で表現しようとしても、「私は～をしたくない」とか、「～が欲しくない」という思いが背景にあるのです。

しかし、宇宙は「～（したく）ない」という言葉を知りません。**否定形で状況を変えることはできないのです。**何かを避けるためにやらない、というのも同じことです。

このように願うと、ほとんどの場合、本当の願いとはまったく逆の結果がもたらされてしまいます。つまり、宇宙は「ない」という言葉をリクエストから取り除き、そのまま実行してしまうのです。

たとえば、「病気になりたくない」は、宇宙にとっては「病気になる」という意味になります。でも、どうしてそうなってしまうのでしょうか？

「ない」状態をもたらすことはできません。私たちは、「何か」をつくり出すことはできても、「ない」状態をつくり出すことはできないのです。「つくり出さない」と考えただけでも、そのつくり出したくない結果がもたらされてしまいます。問題は、宇宙が「ない」という言葉を知らないことだけではありません（そもそも、どうやったら「ない」になれるのでしょうか？）。願いの背景にある病気への不安が、健康への願いよりも大きいことが問題なのです。

何かを避けようとすることはできません。しかし、その逆で、何かをつくり出してもらうことはできます。そのためには、ポジティブな姿勢で物事に取り組まなければなりません。「天」に向けられる願いは、こうあるべきです。「健康でありますように」――この願いはシンプルではっきりしています。これで、病気ではなく、健康という願いに取り組んでいることになるのです。

しかし、正直に言いますと、私たちは毎日どれほどたくさん、このようなネガティブな願いを考えたり、口に出したりしていることでしょう？　「失業したくない」「死にたくない」「事故にあいたくない」「貧乏になりたくない」「私を捨てないで」などと言って。それが「天」に到達したときに何がもたらされるのかは、みなさんもうわかりますね。

正しく願うなら、「仕事がありますように」「必要なものは、何でもあります」「今のおつきあいで幸せが続きます」となるはずです。

どうして多くの願いがまちがった形で運ばれてくるのか、すでにおわかりになった方もいらっしゃるでしょう。実際には、まちがった結果がもたらされたわけではないのです。届いたものは、リクエストどおりです。まちがっていたのは、あなたのリクエストの内容なのです。

願いごとを書き出そう

願うことにあまり慣れていない人には、願いを書いておくことをおすすめします。たくさん経験を積んでゆるぎない信念をもち、多くの成功を手に入れたあとには、書く作業を省略してもかまいません。そんなときは、ちょっと天を見上げたり、いつもの相手にそっとお願いしたりするだけでよくなるのです。

文章に書くと、願いは強まります。このときはじめて、願いは肉体を離れることになります。書き出すだけで願いの力が強まるわけですから、私たちは願うことを急に真剣にとらえるようになります。書くことによって、それまで心からは信じていなかった想像や夢の世界が、現実のものとなっていくのです。

書き記すことで願いをはっきり示すのです。願いは書き記されたときから形をとります。それは私たちのはっきりとした意志なのです。

ここで気をつけなければならないのは、片手間に願わないということです。なぜなら、何を願ったのかわからなくなり、遅かれ早かれ大きな失敗をすることになるからです。

私たちは常に何かを願っているばかりではなく、一度願ったことについても心変わりをします。そう願ったのはほんの一時だけで、次の瞬間にはまた違うことを願っていたりするのです。私たちの気持ちが変わろうが、宇宙には関係のないことですから、すでにその願いをもう望んでいなかったとしても、願っていたことを運んできてしまいます。気がつけば、私たちは送られてきた願いの山の中に埋もれ、人生の展望を見いだせなくなっているのです。これらすべてを招いたのは自分なんだ、と気づくことさえないでしょう。

さらにこの願いの山に、無意識の願いも加わります。するとは私たちは再び、もとの不満だらけの状況に陥ってしまいます。つまり、物が到着するころには、それを欲していたことすら忘れてしまうのです。

ですから、はじめのうちは、よく考えてしっかりと願ったほうがいいでしょう。書くことによって、願いにははっきりとした方向性と重要性をもたせるのです。**そうすれば、その願いは努力する価値があるようになるはずです。**

はじめの段階では、次のようにささやかな「お願い」の儀式を行うとよいでしょう。

まず、**ゆっくりと時間をかけてリラックスします。**素敵な音楽をかけても、キャンドルをともしてもいいでしょう。もちろん、しんと静まり返った状態でもかまいません。大切なことは、リラックスすることです。それから、人生について具体的に考えてみます。

リラックスしていれば、人生は快適なものに思え、お願いもポジティブに行うことができます。ポジティブな考えは、私たちの願いのエネルギーに働きかけ、夢を実現する手助けをしてくれます。

このようにして願いをはっきりさせたら、**書き出してみましょう。願いはかなう、と確信しながら。**

次に、**願いを書いた紙を折りたたみ、特別な場所にしまいます。**できれば、汚れのないきれいな場所のほうがいいでしょう。それによって、私たちの願いがどれほど大切で、「神聖」なものであるかが示されます。さらに絶対に人の目にふれることのない、秘密の場所を選びます。ここで大切なのは、発信した願いの力を感じることですが、願いを書いた紙に特別な場所を選ぶことで、願いの力がさらに強まることも覚えておいてください。


便箋《びんせん》やカード、あるいは日記などに願いを書き記すと、さらにメリットがあります。「願いはかなう」ということを理性に示すための、すばらしい証拠となるからです。

時間がたつと、何を書いたか忘れてしまうものです。大まかな内容はわかっていても、記憶された具体的な言葉はだんだんと形を変えていきます。私たちは毎日、数え切れないほどの新しい刺激を受けているのですから、しかたがありません。私たちが日々変化するのと同時に、私たちの考えも変わります。記憶というのは、真実と空想と期待が混ざり合ったもので、私たちは記憶を信じていますが、日々の変化にともない、それ自体も変化します。

願いが運ばれてきたら、書き出されたリクエストを読み返してみてください。すると、私たちが文章にした注文に従って、いかに正確に願いがかなえられたかを確認することになり、驚くでしょう。

願いを文章にして残しておかないと、せっかくかなうお願いを取り逃がしてしまうかもしれません。私にも苦い経験があります。願いがかなったと思って大喜びした拍子に、具体的な願いの内容を忘れてしまい、願いはすぐそこまで届いていたのに、なかなか手に入れられなかったのです。そのときのことを詳しくお話ししましょう。

プレゼントの箱が届いたのに、開けられない

十年ぐらい前、私が監督を務めた映画が完成したあと、私とミヒャエラは破産寸前の状態に追い込まれました。というのも、私たちの経営する映画制作会社に手持ちのお金をす

べてつぎ込んでしまったからです。私たちがつくった映画の評判はとてもよかったのですが、収益を上げることはできませんでした。私とミヒャエラは自分たちの報酬をあきらめ、それを映画の経費に回しました。

しかし、あらゆる資金調達の方法を探り、八方手を尽くしたものの、最終的には会社をたたまざるをえなくなり、私たちは収入の口を断たれました。もう少しドラマチックな言い方をすれば、私たちは何もかもを失い、過酷な道のスタートラインに立たされたのです。状況は困難を極めていました。当時の私は、まだ物書きとして生計を立てることはできませんでした。思っていたより早く蓄えが尽きそうになり、私はパニックに陥りました。そこで、ミヒャエラに不安のすべてを打ち明けたのです。私は、失意のどん底で思い描いた最悪のシナリオが現実になると思い込んでいました。少なくとも、私はそう思っていたのです。そこで私は、彼女にきっぱりと言いました。「すぐに俳優の仕事を再開するか、さもなければ家賃の高いこの家を解約して、できるだけ早く小さなアパートに移り住むことが最善の策だ、私が文筆業でお金を手にすることができるようになるまでの間、それなりの生活を続けるにはそれしかないだろう」と。

ミヒャエラは、ただ微笑《ほほえ》んだだけでした。微笑んだ彼女に、逆らえる人などいません。なぜなら、ミヒャエラが微笑んでいるときは、彼女の魂が微笑んでいるからです。それは、何もかもがうまくいくということを、意味しているのです。

自分の意見は何一つとして、ミヒャエラに受け入れられないだろうと、私はすぐに悟りました。

彼女が考える唯一の解決策は、必ず実現する願いを宇宙に送り届けることだったのです。彼女は十一歳のときから、こうやって祈ってきました。ですから、気持ちがゆらぐということがめったにありません。というのも、彼女は人生において、私というパートナーの他に、宇宙ともしっかり結ばれているからなのです。

私とミヒャエラは、いつも前向きに祈ることができるのです。出会ったときからずっとそうでした。パートナーが沈んでいるとき、できることは願うことだけです。私たちは相手にいつもそれを思い出させてきました。あの晩、微笑みながら本当の解決策を出してくれたのも、ミヒャエラでした。つまり、私たちにできることは、上手に願うこと、ただそれだけだったのです。そう、**すべてを失っても願うことはできるのです。**

そんな当たり前のことを、どうして忘れてしまったのでしょうか？　ミヒャエラによって、私は失った宇宙への信頼を取り戻したのでした。

私が本当に「すべきこと」は物を書くことで、この先ずっと書きつづけるべきであるならば、宇宙はきっと経済的な安定をもたらしてくれるにちがいない。私のリクエストは受け入れられ、すぐに運ばれてくるだろう、と想像するのは簡単なことでした。そのころ、私は願うときには願うなりの根拠が必要だと思っていました。

どのくらいのお金が必要だろう？　それでどれだけの期間、生活できるのだろうか？　具体的にはいくらになるのか？　会社のせいで失ったお金は、どのくらいだろう？　私たちはそのお金で、少なくとも一年間は、食べる心配をしなくてすんだにちがいない。私が映画の仕事で得られるはずだった金額を、お願いしてもいいはずだ。

間もなく、八万マルクという金額がはじき出されました。もっとも縁起のいい数字は七。よし、七万七七七七マルクだな――こうして願いは確定したのです。

私は前もって、願いをかなえてくれてありがとう、と感謝しました。なぜなら、私にはお金が手に入る確信がありましたから。そして、願いがかなわないかもしれない、などと疑わないように、それ以上考えるのをやめました。何しろ、そんなことをして、私の願いからエネルギーが奪われては困りますから。

それから数週間後、私たちはデュッセルドルフで、ユネスコの特別記念行事のチャリティー抽選会に参加していました。

いつものように、抽選券を何枚か買ったのですが、その夜、私たちは何も当たりませんでした。本やドライヤーはおろか、ＣＤ一枚すら当たらなかったのです。賞品は次々に、幸運な当選者へと振り分けられていったのでした。そしてついに、残るは一等の高級車のジャガーだけとなりました。

巨大な抽選機が最後の回転を始めたその瞬間、私は確信したのです。私の願いが今まさに形になる、と。それはすばらしい瞬間でした。このとき私は、宇宙と、宇宙からの贈り物を意識したのです。願いはかなえられる、私はそう直感しました。私は宇宙とつながり、一つになっていたのです。ミヒャエラは「ああ、どうしよう、ついにきた」とつぶやく私を、あっけにとられて見つめていました。

予感していたとはいえ、司会者が私の手の中にある番号を読み上げたとき、私もミヒャエラと同じように呆然《ぼうぜん》としていました。司会者は、舞台へ上がった私に微笑みかけ、何度も私の番号を確認しました。その夜、一一万一〇〇〇マルク相当のジャガーを引き当てたのは、まちがいなく私だったのです。

次に気になったのは、この車がどのくらいのお金になるか、ということでした。車を手元に置くつもりはありませんでした。何しろ車を売ってお金に替えないことには、物を書きつづけることなどできなかったのですから。結局、評判のいい自動車代理店が販売を引き受けてくれ、ジャガーは定価よりも安い一〇万四〇〇〇マルクで売り出されました。

ところが、それから二週間たっても車は売れず、ついに三週間目に突入しました。たくさんのお客さんが店を訪れましたが、みんな私たちの車の脇《わき》を通りすぎ、同じモデルを定価で買っていきました。

三週間が過ぎたところで、私は価格を九万九〇〇〇マルクまで引き下げたいと申し出ました。でも、代理店側はいやな顔をしました。値崩れを起こしてしまうことを恐れていたからです。しかし、最終的には私の押しの強さが勝ちました。ところがそれから一週間、さらにもう一週間たっても、やはり車は売れませんでした。

そこで長い話し合いの末、八万八〇〇〇マルクの値がつけられることになりました。それでもジャガーは売れず、みんなお手上げでした。この車はお買い得商品でしたし、客足が少ないというわけでもありませんでした。それでも、入り口の真正面にディスプレイされているこの車を買おうという人は、誰もいなかったのです。ついに、八万五〇〇〇マルクまで値引きされることになったのですが、それでも売れませんでした。

私にもミヒャエラにも、いったい何がどうなっているのか、さっぱりわかりませんでした。願ったお金はたしかにすぐそこにあるのに、私たちのところへ来る手立てがないように思われました。

解決方法はいたって簡単なことにちがいありません。何といっても、私たちは今まで上手に願ってきたのですから。車を手に入れたことが何よりの証拠です。とはいえ、私たちには目の前で起こっていることが理解できませんでした。そこで、まずは落ち着いて、ゆったりと座り、自分の心にたずねてみることにしました。

目からうろこが落ちる思いでした。私たちは理解していなかったのです。頭の中であれこれ計算したことが、結果を運んできてくれることはめったにありません。**たいていの場合、正しい方法を示してくれるのは直感です。直感によって導き出される答えは、理性に**

よるものに負けないくらい、説得力があります。そうでした。私は、映画で得られるはずの金額を算出し、一年間食べていかれるだけのお金をお願いしていたのです。

私がお願いした金額は、およそ八万マルク――いや、そうではありません。思い出しました。あのとき私が思いついた数字は、ラッキーセブンの連番、七万七七七七マルクだったのです。

私は急いで代理店に電話しました。ところが、私の申し出はまったく歓迎されませんでした。そんなに安くは売れない、と拒否されたのです。しかし、さんざん討論した末に、代理店側はしぶしぶ承知してくれました。

しかし一週間が過ぎ、二週間が過ぎても、ジャガーは売れませんでした。世の中いったいどうなっているのか、私はさっぱりわからなくなっていました。今度こそ何もかもつじつまが合っているはずなのに、どうして私のリクエストは、かなえられないのだろう？

私はもう一度、代理店に電話し、本当に七万七七七七マルクと表示されているか、確認しました。長いやり取りの後、担当者は、八万二〇〇〇マルクで売ってちょっと儲《もう》けようとしていた、と白状しました。約束どおりの金額を表示するよう猛烈に抗議すると、相手はようやくこちらの要求を飲んでくれました。もしかしたら、もう私を厄介払いしたかっただけなのかもしれません……。

それから二時間もたたないうちに電話が鳴り、ジャガーは私の言い値で売れたのでした。

私は喜びに浸りながらも、ちょっと自分に腹を立てていました。

「なんてバカなんだろう。八万八八八八マルク、いや九万九九九九マルクにすればよかった。どうして二年分の生活費を願わなかったんだろう？　そうすればジャガーはもっと高く売れたはずなのに」

だからといって、私は本当に七万七七七七マルク以上、必要としていたのでしょうか？

このお金で私たちは、苦しい時期を切り抜けることができたのです。きっとそれが私にふさわしい金額だったのでしょう。それとも、ただリクエストが願いどおりに実行されただけだったのでしょうか？

あるいは、単に偶然が重なっただけなのでしょうか？

しかし、驚くべきことに、奇跡のような話はこれだけではなかったのです。じつは、その一年ほど前、私の愛するミヒャエラも、同じように抽選で車を当てていたのでした！

そのときの小さな赤いトヨタは、今でも私たちの足として活躍しています。

どうして車が当たったの？　と聞かれれば、ミヒャエラはこう答えるでしょう。

「抽選会の何週間か前に、宇宙にお願いしておいたからよ」

彼女のすばらしい当選については、後で詳しくお話しします。


さて、ジャガーの話に戻りましょう。もしあのとき、私が願いごとを紙に書いていたら、何週間も無駄にせずにすんだはずです。しかし、あのとき私は、自分が何を望んだのか、漠然としか覚えていなかったのでした。


これと同じようなことは、よくあります。運ばれてきたもののどこかが気に入らなかったり、願いどおりのものが運ばれてきたのに、もう必要なくなっていたり。あるいは、願ったときには違うお願いをしていたのかもしれません。それなのに、私たちはそれを忘れてリクエストがまちがえて実行されたんだ、と信じて疑いません。そういうとき、願いを書き残しておけば、宇宙がどれくらい正確に仕事をし、私たちがどれぐらい正確に願っていなかったかがわかるでしょう。

願いを書き出すことによって、願ったことと、実際に運ばれてきたことの間にどのくらいの差があるかを、簡単に知ることができます。このように比較するだけで、的確に願えるようになり、人生はよりすばらしいものとなるでしょう。つまり、上手に願う秘訣《ひけつ》は、正しい言葉を使うことなのです。

いずれにしても、願いを書き記すことで、小さな願いの工場はうまく機能しはじめ、願いがかなうのは偶然ではないことが明らかになるはずです。小さなカードの数はまたたく間に増えていき、はじめに抱いていた疑いは、驚き、そして確信へと変わっていくことでしょう。**成功はさらなる成功を呼ぶのです。**

こうして私は、たくさんの小さなカードに願いを書くようになりました。私にも「願いはかなう」ことの証明が必要だったのです。なぜなら、自然科学系のギムナジウム（ドイツの中等教育機関）に通っていた私は、疑い深い現実主義者だったからです。ですから、再び願いの力を信じはじめた当時の私は、「理性」に願いの効果を納得させるのに苦労したものです。そのとき、カードは強い裏づけとなりました。物事は願ったほうへ向かうということを、最後に理性は理解したのです。

ところで、私はカードに願いを書く作業が好きです。私の仕事部屋の壁を覆う二つの長いコルクボードには、たくさんのカードが所狭しと並び、一目で願いが見渡せるようになっています。けれども、誰もがこの「カードコレクション」を実践しているかというと、そうではありません。「お願い日記」をつけたり、いつもの日記に違う色で願いを書き込むほうが好き、という人もたくさんいます。

日記などに願いを書き記すことにも、いくつかのメリットがあります。

一つは、「たくさん欲しい」など、はじめはぼんやりしていた願いが、最後にはどのような表現に変わったのか、確かめられることです。このようにすれば、次からは、もっと効率よく願えるようになるのです。

この方法のさらなるメリットは、願いとその結果をいつでも手軽に振り返ることができるところです。この他にも、メリットはまだまだあります。理性が再びすべてを「偶然」のせいにしようとしたときには、覆すことのできない証拠となります。うまく願えなかったときには、もう一度うまくお願いするための参考にもなります。私たちは、いつでも上手に願えるわけではありません。追い込まれているときは、なおのことです。ですから、そういうときのためにも、願いを書き出して手元に置いておくことは、とても意味があります。

そして何より、成功の体験を書き記すのは、楽しいことなのです！

はっきりと、簡潔に、的確に

願いがはっきりと表現されていればいるほど、リクエストは正確にかなえられます。反対に、曖昧《あいまい》でとりとめのない表現や態度をとっていると、欲していたものと違うものを得てしまう可能性が高いのです。

たとえば、リビングルームの棚を欲しいときに、どんな形をしていて、どこに置いたらちょうどよいか、想像してみます。さらに、色、木の種類、大きさ、何を入れるかなど、具体的に思い描きます。願いを明確にしておかないと、宇宙は何を選べばいいのかわからなくなり、こちらが考えていたものとはまるで違うものを届けかねません。つまり、まったく使えない棚を手に入れてしまう可能性があるというわけです。

私たちのリクエストがいくつあろうと、どんなに細かく想像しようと、宇宙はそのすべてをきちんと運んできてくれるのです。

それでも、私たちは願いが届けられたときに、願い忘れがあったことに気づき、不満を感じることがあります。ですから、事細かに想像しすぎても意味がないこともあります。というのは、どんなに細かく想像したところで、願い忘れたり、望んでいなかったことがもたらされてしまったりと、私たちが満足する結果はとうてい得られないからです。そして、**願いの文章は二つか三つに短くまとめるとよいのです。**

これは矛盾しているように聞こえますが、けっして矛盾ではありません。よりはっきりと、より短い言葉で表現するには、願いの核心に迫ることが要求されます。少ない文章にまとめることで、本当に望んでいることが明確になるというわけです。

作家が作品の構想を編集者に伝えるときは、アイデアを一文で表現することが求められます。というのは、短い言葉で伝えられない内容は、たくさんの言葉を用いても伝えられないからです。

ですから、たいていの作家は、ストーリーの基本構想をできるかぎりコンパクトにまとめることに時間をついやします。これと似たものに、広告のキャッチコピーがあります。キャッチコピーの場合は、二、三語で表現しなければならないことも、めずらしくありません。限られた言葉の中に、すべてのエッセンスを含まなければならないのです。

つまり、短く表現すればするほど、願いははっきりします。たくさん言葉を使うと、リクエストの輪郭がぼやけ、中途半端なものが運ばれてきてしまいます。短く的を射た願いは、だらだらつづられた願いより、はるかに強い力を秘めているのです。

短い言葉がもつ力の強さを、私は何度となく思い知らされました。

壁に張ると願いはかなう

二十二歳になるころには、私はとても有名なテレビ俳優になっていました。でも、演劇の世界では別の話でした。当時、テレビの世界と劇場の世界は折り合いが悪く、演劇界ではテレビ俳優は嫌われ者で、なおかつ格が低いと見られていたのです。

当時、私のようなテレビスターが名声の高い劇場でいい役をもらうのは、とうてい無理だと考えられていました。

ある日、私はミュンヘンのレジデンツ劇場で、俳優のミヒャエル・デーゲンが出演する『ハムレット』を見ました。それは後々まで私の心に深く残る、とても印象的な公演でした。そのとき私は思ったのです。私も絶対にここで演じるんだ、と。でもそれは大それた望みでした。何しろ劇場の支配人クルト・マイゼルとも、当時のドラマターグ（ドイツの劇場で古くから普及している、文学、美術など、広範な専門知識が要求される知的エキスパート）とも言葉を交わしたことすらなかったのです。この状況に怒りを感じた私は、イライラのすべてを大きな紙の上にぶつけました。「おれはこの劇場で演じてやる！　それも今年のうちに、自分で選んだ役を！」と大きな文字で書きなぐったのです。

そして私の怒りの気持ちをみんなに知らせようと思い、紙を壁に張ったのです。それは短くて、はっきりとした願いでした。必ず実現する、私はそう信じていました。

その三か月後、レジデンツ劇場から電話が入りました。私に来てほしい、というのです。何が起こったのでしょうか？『ファウスト』の第一部と第二部を演出することになったミヒャエル・デーゲンが、劇場のお抱え俳優ではないフレッシュな人物、つまり私のような俳優を起用しようとしていたのでした。こうして私は面接に行き、『ファウスト』第一部から主役ファウストの台詞《せりふ》を読ませてもらいました。

ミヒャエル・デーゲンは私をいったん家に帰すと、三日後に再び私を呼び出し、今度は学生の役の台詞を読んでほしいと言いました。そして、どちらの役をやりたいか、と私にたずねてきたのです。

私は考える時間をもらい、父に相談しました。第二部のキーパーソンとなる学生の役のほうがいいと思う、父はそう答えました。

こうして、私はその年内にミュンヘンのレジデンツ劇場で、自分で選んだ役を演じたのでした。

さらにうれしいことに、役を選ばせてもらったその週、支配人のクルト・マイゼルが私と三年間の契約を結びたいと申し出てきたのです。けれども、私はそんなに長い間、ひと所に縛りつけられるのはごめんでした。私には、掲示板に配役が張り出されるのを待つ同僚たちが窮屈に思えたのです。結局、私は自由を選んだのでした。

私は自分でも気づかないうちに、はっきりと正確に願い、壁に張られた一枚の紙でそれを高らかに宣言していたのです。願いがかなったのは、そのおかげにちがいありません。

★第三の法則

感謝する

★欠点ばかりに目を向けているとよいことが見えなくなる
★感謝の気持ちが人生をよりすばらしいものにする
★最後には幸せが待っている

紙に願いを書いたら、最後は感謝の言葉で結びます。上手に願うためには、感謝することがとても大切です。

よいことに目を向けよう

日々のすばらしい出来事に目を向けて感謝すると、思いがけないほどたくさんのことがうまく回っていることに気づくでしょう。ところが私たちはうまくいっていることは当たり前のように感じ、まだうまくいっていない、ほんのわずかなことにばかり注意を向けてしまいます。

うまくいっているすばらしいことすべてを、思いつくままに書いてみると、その数の多さにきっと驚かされるはずです。おおかたはうまくいっているのに、うまくいっていないほんの少しのネガティブな点に注目してしまいがちです。そうすると、欠けていることがどんどんふくれ上がり、すばらしいことはどんどん減っていってしまいます。ですから、気に入らないことばかりに心を奪われていると、やがては人生全体をつまらなく感じるようになってしまうのです。**欠点ばかりに目を向けているとよいことが見えなくなるのです。**

私たちはネガティブなことに目を向けすぎているのかもしれません。あるいは、他人と自分を比べすぎるともいえるでしょう。ほとんどの場合、私たちは比較することで、不幸になっています。他人のプラス面ばかりを見つけては、自分には手に入らない、と劣等感に浸ってしまうのです。

次の簡単なエクササイズは、自分自身を外から見るのにとても役立ちます。

静かな時間を見つけ、リラックスして、椅子に座りましょう。自分自身に気持ちを集中させ、微笑《ほほえ》みながら自分を観察してみます。人生の中で出会った素敵な瞬間の記憶をすべて呼び起こします。あなたはこれまで、どれほどたくさんのことを成し遂げましたか。どれくらい多くの人を助けてきましたか。あなたによって幸せになった人は誰でしょう。そうしたすばらしい瞬間をさらに深く見ていきます。ネガティブな気持ちは捨てましょう。あなたは今までに、こんなにたくさんのことを成し遂げたのです。すべては、あなたの才能、そして能力があったからです。あなたは、これからもずっとこれらの力をもって、さらに多くのことを成し遂げていくでしょう。

次に、あなたのまわりの人に目を向けてみましょう。あなたの家族、友人、親戚《しんせき》にとって、あなたは大切な存在です。なぜなら、彼らの人生において、あなたはなくてはならない存在だからです。彼らの愛情は、あなたの財産です。同様に、あなたは彼らの支えであり、彼らにたくさんの影響を与えているのです。あなたの言葉や行動の一つひとつによって、彼らの人生が変わります。あなたの励まし、心遣い、愛によって、彼らはたくさんの成功を収めるのです。あなたなくしては、成しえなかったことがあるのです。ときには、彼らは言うでしょう。あなたはただ、そこにいてくれるだけで十分だ、と。

あなたは必要とされています。そのことに、感謝しましょう。

今度は、あなたの友人、知り合い、そして家族が、あなたを助けてくれた瞬間に気持ちを集中してみてください。あなたのことを考えてくれている人は、どれくらいいますか？　いつも態度で示してくれるというわけにはいきませんが、たくさんの人があなたを愛していることでしょう。彼らはくり返し、あなたに力と喜びを与えてくれたはずです。意見を戦わせてきたことも、たびたびあったでしょう。でも、それはあなたのことを大切に思っているからなのです。

さらに、あなたに直接関係している世界を見ていきます。あなたが生きてきた道のりには、苦労もあったでしょう。でも思い起こせば、あなたは無から、今のあなたをつくり上げたのです。自分自身の神となり、あふれる善意と温かさであなたを見つめてください。人生から、あなたも十分な贈り物を受け取っているはずです。それがどんなにすばらしいことか、感じてみましょう。あなたの中に芽生えた感謝の気持ちを、感じるのです。

さあ、目を開けて、あなたの人生のすばらしい出来事を全部書き出してみましょう。うまくいっていることがたくさんあることに、驚くはずです。

さて、これから、新しいスタートを切りましょう。くよくよ思い悩むのではなく、あなたの人生の中ですでに与えられてきたよいことを見つけるのです。このエクササイズを重ねれば重ねるほど、自分を助けてくれるものが何なのか、はっきりわかるようになります。たくさんのことが正しい方向に動いていることを認識しましょう。**感謝の気持ちが人生をよりすばらしいものにするのです。**

エネルギーは、目を向けているほうに注がれます。感謝するたびに人生がよりよくなるのは、人生によいエネルギーが流れ込むからです。素敵な出来事に気持ちが向けられることで、人生はさらにすばらしいものとなります。感謝は私たちの心を満たし、純粋なエネルギーを与えてくれます。純粋なエネルギーは、より早く、はっきりと願いに働きかけるのです。

感謝は願いを現在に引き込む

感謝の心は、宇宙と人生につながっているだけではありません。願いのエネルギーを現在に引き寄せる力ももっています。

ですから、私たちが感謝した瞬間に願いは聞き入れられます。そして、すぐに現実のものとなるのです。

☆感謝は、祈りの最後の言葉「アーメン」と同じような働きをもっています。

☆アーメンは「まことにそのとおり！」という、確認を意味する言葉です。

祈りと願いのエネルギーは、とてもよく似ています。どちらの場合にも、私たちは自分より高いところにあるものに呼びかけ、答えを求めます。そして最後は「アーメン」、あるいは「ありがとうございます」という感謝の言葉で締めくくるのです。

感謝は信念を強める

感謝は、すべての疑念と不安を取り除いてもくれます。そのおかげで、私たちは信念をもって、願いがかなうのを待つことができるのです。日常生活において、私たちはすでに行われたことに対しては、「〜してくれてありがとう」と感謝をします。

同じように、これからかなえられる願いに対しても、前もって感謝しましょう。

つまり、感謝によって願いを確認し、確かなものにするのです。それは、書類にサインするようなものです。私とミヒャエラが何度となく体験してきたように、それは、ほとんど望みのないように見える状況でも効果があります。

私とミヒャエラは一年の間に二台の車を当てました。ジャガーについてはすでにお話ししましたので、次はその十二か月ほど前にも起こっていた、よく似た「奇跡」についてお話ししましょう。

車をもたらしたお願い

あるとき、私たちの古いセカンドカーでミヒャエラが事故を起こしました。もともとポンコツだったその車は、ぼこぼこになってしまい、売り払われました。そのころ、私は映画制作の準備のため、毎日ボンからケルンまで通っていました。ですから、すぐに代わりの車が必要でした。でも、どうやって手に入れたらいいのでしょう？　答えは簡単、願えばいいのです。そこで私たちは事故のことに腹を立てる代わりに、人生に訪れたこの変化を喜んで受け入れ、新しい車を迎える心の準備をしました。でも、いったい、どこから車がやってくるというのでしょうか？　でもこれはもはや、私たちが問題にすることではありませんでした。

数週間後、私たちはこの願いをとうに忘れてしまったのですが、ある日、ケルンで行われたある特別記念行事に招待され、おつきあいで抽選券を買いました。しかし、抽選は延々と続き、待ちくたびれた私たちは、抽選券を友人夫婦に託して家に帰りました。

　翌朝、友人からの電話で目が覚めました。

「当選したよ。これから品物を届けに行く。小さなものだけど、直接手渡したいんだ」

　友人が姿を現したのは、私たちが自宅のキッチンで映画のオーディションをしていたときでした。カメラの前である女優さんが台詞《せりふ》を読んでいたところへ、友人が小さなものを掲げて入ってきました。それは、鍵《キー》でした。そう、車の鍵です！　抽選会場のホールに車が置いてあるから取りに行ってほしい、というのです。このことは誰の耳にも入ることは、ありませんでした。なぜなら、ミヒャエラが秘密のうちに願ったからです。何か大きなものを手に入れたければ、そのことは誰にも知られてはならないのです。

　その後の光景は、じつに奇妙なものでした。私たちがホールに到着したとき、作業員はすでにセットを撤収していました。私たちの車は忘れ去られたように、ぽつんとホールの真ん中に置かれていました。作業員たちはその車に見向きもしませんでした。私たちが車へ近づいても、誰も興味を示さず、声をかけることもなく、それぞれが自分の仕事に励んでいました。

　私たちは鍵をすばやく取り出し、差し込んでみました。カチャッ！　心臓をドキドキさせながらエンジンをかけると、車はブルンブルンと音を立てました。ミヒャエラはこの幸運を信じることができませんでした。私たちは、車の屋根につけられていた風船を一つ残らず車に詰め込むと、作業員と機械の間を縫うようにして、ホールを後にしたのでした。ミヒャエラは願いを受け入れてくれた宇宙に、心から感謝していました。

それから数日後、自動車登録の書類が送られてきました。そして、この車は、現在でも私たちの唯一の車として活躍しています。

私たちの願いは、今回も見事にかなえられました。私たちは幸せでした。この出来事を幸せに思わない人などいるでしょうか。でも本当は、私たちが願い、それによって車がもたらされただけのことなのです。信じられないかもしれませんが、それぐらい単純なことなのです。

問題を深く考えない

感謝をすることには、さらなるメリットがあります。それは、一つの問題について深く悩まなくなるということです。

「上手に願う」ということは、私たちの心配や問題を宇宙にあっさりと任せ、感謝の言葉で結んで感謝によって願いを現実のものにするということです。
「親愛なる宇宙よ、親愛なる天使よ、親愛なる神よ、あるいはいつも願いをかなえてくださる方よ、ご配慮ください。そしてもし、私に何かできることがあるならば、教えてください。私はあなたに喜んでいただきたいのです。ですから、何をしたらよいのか、具体的にお教えください。ありがとうございます」

感謝することで私たちは、問題についてあれこれ悩む必要がなくなります。問題を抱えたままだと、自分の願いに疑問を感じてしまうことになるでしょう。反対に、問題を本当に預けて、感謝してしまえば、それを宇宙が引き受けてくれるので、機嫌よく日々を楽しむことができるというわけです。

問題は転がさずに預ける

私は心配ごとをさっさと宇宙に預け、くよくよすることはありません。これこそ、私が何年にもわたってやってきたことなのです。心の中でぶつぶつ言うことも、あれこれ考えることもありません。問題を解決しようとして苦しむこともなければ、理性的な答えを無理やり出そうともしません。ただ、宇宙に預けるのです。そして、ふと何かを思いついたときに、はじめて行動を起こします。そうすれば、ほぼまちがいありません。

とはいえ、そんな私も「問題を預ける」方法を学ぶことから、始めなければなりませんでした。

失意のどん底で

もう何年も前のことですが、突然失意のどん底に突き落とされてしまったことがありました。五年間いっしょに暮らしていた当時のパートナーが、他の男性と知り合い、心変わりしてしまったのです。彼女は、新しい恋人といっしょに暮らすようになり、私は不幸のどん底にいました。食欲もすっかりなくなり、失恋の痛手でよく眠れなくなりました。胸が張り裂けそうになり、泣いて、暴れて、自暴自棄になっていたのです。

マスコミはこの二人の新しい幸せな愛について大々的に報じ、私は、新しい愛を邪魔だてする無能な男とみなされ、負け犬呼ばわりされました。世間にさらし者にされ、深く傷つき、二度と立ち直れないぐらい打ちのめされました。

一週間後、私は一冊の本を手にしていました。そこには次のような祈りの言葉が書かれていました。

神よ、
変えることのできるものについて、
それを変えるだけの勇気をわれらに与えたまえ。
変えることのできないものについては、
それを受けいれるだけの冷静さを与えたまえ。
そして、
変えることのできるものと、変えることのできないものとを、
識別する知恵を与えたまえ。

ラインホールド・ニーバー

（大木英夫訳）

この祈りを何気なく読んだ私は思いました。こんな状況で、祈りが何の助けになるというのだ。

翌朝、私は相変わらず放心状態のまま、この祈りを再び唱えてみました。失意のどん底から十日たち、疲れきっていた私は、もはや執着する気も、戦う気もありませんでした。彼女は新しい恋人と暮らしたがっていたので、私が変えられることは、もはや何もなかったのです。

打ちのめされた私は、すべてをあきらめました。つまり完全に負けたのです。

すると、無造作に発せられた祈りの言葉によって、突然、新しい命が芽を出しました。私は生き生きとし、家の中で踊り、歌い、料理したのです。不幸のどん底にいながらも幸せを感じていました。あまりにもうれしくて、涙が後から後からこぼれ落ちました。

この状態は一年ほど続きました。それは深い幸せに包まれた、それまでに経験したことのない世界でした。絶対なる存在と結ばれているような気持ち。それに支えられた私は、心の奥から幸せを感じていました。こだわりがまったくなくなり、何もかもを受け入れることができたのです。

その後、彼女は戻ってきました。私からあふれ出る力を感じたからでしょう。けれども、私が以前のような愛情を彼女に抱くことはありませんでした。しかし、私は、彼女に対する心遣いを怠らず、尊敬し、許しました。自分のまちがいを認めることを学んだのです。このことを通して、とりわけ、自分を大切にし、愛し、一つひとつの振る舞いを大切に行動することを学びました。彼女が私のところに戻ってきたことを知り、マスコミは、この経験を細かく語ってほしいと頼んできました。さらに、私の名誉を回復させてほしいとも言ってきました。しかし、もはやそれは、私にとってたいしたことではなかったのです。なぜなら、私は幸せで、満たされていましたから。というより、世間の評価などどうでもよくなっていたのです。私の理性は、きっとそうは言わなかったでしょう。でも、私は自分の感情の声に従いました。その日以来、私は、いつも感情の声に耳を傾けることで、うまくやってきました。

幸せの気持ちの理由がわかったのは、それから何年もたってからのことです。私は、何が起きても心配というものをしなくなりました。すると、心の負担がなくなりました。そのときから私は、何にも束縛されない自由な人生を楽しむことができるようになったのです。無理やり手に入れなければならないものなど、何一つとしてありませんでした。私は守られていました。

自分の力で変えられないことを、気に病んでもしかたがありません。それは骨折り損、つまりエネルギーの無駄遣いです。

私はエネルギーのすべてを、ポジティブなことに注ぐことができたのでした。

この出来事は、私に、問題のほとんどは「理性」によって生み出されている、ということを教えてくれました。なぜなら、最初はネガティブに思えることも、たいていは最良の結果へと続いているからです。

市電に乗り遅れようが、脚本が却下されようが、ガールフレンドにふられようが、その先にはいつも何かが待っていて、私を新たなすばらしい「奇跡」へと導いてくれるのです。

最後には幸せが待っているのです。

以来、私は確信しています。いやなこと、ネガティブなことはすべて、私たちを幸福へと導くための通過点にすぎないと。

この恋愛劇によって、私は再び自由になり、ミヒャエラと知り合ったのでした。それは人生でもっとも大きな幸せでした。

★第四の法則

「願えばかなう」と理性に納得させる

★手に入れる権利がある願いはいつでも思いどおりになる

★私たちが見ているのはそのものの実際の姿ではない

★考えていることが現実になる

★エネルギーは気持ちの向いているほうに働く

★すべてのものはあり余るほど存在するが、望んだ分しか与えられない

★成功は成功を引き寄せ、不幸はさらなる不幸を引き寄せる

★真実のすべてを知ることは不可能

★私たちが「知覚」しないことは、私たちにとっては存在しない

★私たちは把握できる世界の、ほんの一部分しか自覚していない

★潜在意識の中にあるものは何だろう?

★固定観念は命令である

★思いはきわめて強いメッセージである

★自分の美しさを受け入れる

私たちは子どものころから、手っ取り早く願いをかなえてもらう方法を学んできました。しつこくねだったり、だだをこねたり、泣きわめいたりすることで、最後には欲しいものを手に入れていたのです。

しかし、「上手に願う」ためには、これとはまったく逆のことを行います。しつこくねだったり、自分に欠けている点を探して、そのせいでどんなに不幸であるかを嘆いてはいけません。その反対のことをするのです。**なぜなら、手に入れる権利がある願いはいつでも思いどおりになるからです。**

こう言うと、多くの人は不思議に思うでしょう。どうしていつも思いどおりになるのだろう？　願いがかなうのは、なぜ？　では、この疑問について、考えてみましょう。

私はこれまで、宇宙のイメージを巨大な通販会社にたとえてきました。しかし、ここで少々物理学的な話をしたいと思います。私たちの願いはやっぱりかなえられる、と理性に納得させるためです。

でも、心配しないでください。何も難しいことはありません。それどころか、わくわくしてくるはずです。学校の物理学の授業は、私たちの人生とは関係のない、つまらない勉強の一つだったかもしれません。でも今ここで、あのときの物理が、真の姿を現します。さあ、勇気をもって、目に見えない世界を旅してみましょう。理性は、この旅を必要としているのです。上手に願うことが「理解」できれば、理性は将来、私たちを助けてくれるでしょう。

物理学で説明する

この世にエネルギー以外のものは存在しません。物質も私たち人間も、エネルギーででできています。考え、感情、心、それから身の回りの出来事や状況も、すべてエネルギーから成り立っているのです。それぞれの違いは、単なるエネルギーの表れ方の違いにすぎません。

さて、物質は何でできているのでしょうか？　物質は原子（アトム）という、ごく小さな粒子からできています。この世のすべての物質は、原子同士の組み合わせにすぎません。つまり、どの原子がどのように配列しているかで、その物質が決まるのです。原子は他の原子と結合したり、分離したりします。

原子をさらに細かく見てみると、陽子、中性子、電子という小さな粒子に分けることができます。想像してみましょう。原子の中心には、陽子と中性子でできた原子核があり、そのまわりを電子が回っています。原子核と電子の距離は、私たちが想像するよりはるかに大きく、原子核がグリンピースの大きさだとすると、電子までの距離は一七〇メートルあることになります。ですから、私たちは中身がほとんどないものを「見ている」のです。私たちは物質としてそれらを知覚し、見たとおりに認識しますが、実際はそうではないのです。**私たちが見ているのはそのものの実際の姿ではないのです。**

私たちは物質から異なった振動を受け取り、それを脳の中で処理し、一つのイメージをつくります。つまり、振動を「翻訳」しているのです。ほとんどの人は、受け取った情報を同じように翻訳するので、私たちはみんな、同じようなものを「見たり」「感じたり」することになるわけです。

たとえば色も、実際には私たちが認識しているようには存在していません。振動が知覚され電気エネルギーに変化すると、脳は私たちの「見ている」物体のイメージをつくり出します。色の周波数は、感情にも働きかけます。ですから、色には温度がないはずなのに、私たちは寒そうな色とか、暖かそうな色と感じるのです。

すべてのものは原子でできています。原子は素粒子で構成され、素粒子はたくさんのエネルギーの集まりです。

地球上のあらゆるもの、人間、そしてあらゆる状況は、エネルギーのさまざまな形態の表れです。このことがわかれば、どのようにすれば物質に影響を及ぼせるのか、理解できるようになります。

一九〇五年、アルバート・アインシュタインはかの有名な方程式$E = mc^2$を発表しました。これは、エネルギーが質量に変化することを説明したものですが、一九七〇年代に、実験によって実際に確認されました。

この発見には「上手に願う」ためのヒントが隠されています。それは、私たちはエネルギーを導くことができる、ということです。私たちが考え、思う力によって。私たちの思いは、エネルギーを一点に集めることのできるレーザー光線のようなものなのです。レーザーの光は、多方角に広がる電球の光とは違って、一点に集中します。同様に、私たちの思いの力は、エネルギーを一定の方向へと導き、そのエネルギーを形にすることができるのです。

- 私たちが見ているようなものは、実際には存在しない
- 物質はエネルギーが集まったものである
- エネルギーがなければ物質も存在しない
- 私たちは、エネルギーを導くことができる
- エネルギーに影響を及ぼす思いは、それ自体がエネルギーである

エネルギーは物質を発生させます。思いがエネルギーであるならば、あらゆる出来事を引き起こしているのは私たち自身ということになります。なぜなら、私たちは常に何かを考えているからです。

願いをかなえるためには、次のことをしなければなりません。

・思いの力を使う
・望むことを手に入れるために、エネルギーと共鳴できる能力を身につける

そのためには二つの法則を用います。

①エネルギー保存の法則

生命全体を支える物理の法則があります。

「すべてはエネルギーでできており、さまざまな形に変化する」

つまり、エネルギーは形が変わることはあっても、けっしてあとかたもなく消えることはないのです。

自然哲学者のデモクリトス（紀元前四六〇〜三七〇年ころ）は、「この世に存在するものは、消えてなくなることなく、常に変化する」と唱えました。現代物理はこの理論をよりどころにしています。

さて、これが「上手に願う」ことと何の関係があるのでしょう？

ある物質が、別の物質や、目に見えないエネルギーへと変化するように、目に見えないエネルギーも物質へと変化します。私たちは、この変化に影響を与えることができます。つまり、エネルギーを意識的に導き、望んだ形にすることができるのです。**考えていることは現実になるのです。**

これは一見不可能なことに思われるかもしれません。しかし、私は一年の間に車を二台当てました。このように私たちは、人生最高の愛、自分に一番合った仕事、理想的な家、希望どおりの中古洗濯機など、欲しいものを手に入れることができるのです。

なぜなら、どんな願いもエネルギーだからです。発信された願いは、具体化される、すなわち現実のものとなろうとします。思いが強いとエネルギーの力も強くなり、感情がこもっていればいるほど、エネルギーの推進力も高まるのです。

残念ながら、これはマイナスの方向にも作用してしまうので、ネガティブな思いも現実になってしまいます。エネルギーは、よい考えと悪い考えを区別してはくれません。物事の善《よ》し悪《あ》しを判断することも、何かを評価することもしません。結果がどうなろうと、エネルギーには関係ありません。**エネルギーは気持ちの向いているほうに働きます。**エネルギーはこの基本法則に従って、ただ対象物の形を変化させているだけなのです。

私たちは不幸なとき、ネガティブな思いを発してしまいがちです。「とても不幸だ」「気分が悪い」「誰も愛してくれない」「残念だ」「何もかも、おしまいだ」——これらすべては宇宙への命令です。こうして私たちは、どんどん不幸になっていきます。

この原則がよいほうに作用すると、どうなるでしょうか？　たとえば、思いの強いポジティブなエネルギーが発信されます。やがて、似たようなさまざまなエネルギーが集まり、人はその中から自分に必要な情報を偶然に受け取ります。そして、それを自分のアイデアだと思い、そこから何かをつくり上げたり、行動を起こしたりするのです。すると、夢のようなパートナーや、期待していたことや、待ちに待ったものが、突然、目の前に現れます。すべてはエネルギーの形が変化したにすぎないのです。

この世には、すべての人のために、ありとあらゆる物事や現象が存在しています。ここには、需要と供給の関係が成り立っています。すなわち、私たちの要求に応じて、エネルギーが分解されたり、構築されたりするのです。その結果が、私たちの生活の中に現れてくるというわけです。

あなたが苦しい生活を強いられているとすれば、それはまさしくその状態を望んだからです。それにひきかえ、隣の人は富をほしいままにしているかもしれません。もしそうだとすれば、その人はあれこれ理屈を考えずに、ただ富だけを望んだのでしょう。

私たちがこの世で体験することは、すべて私たちが考えたことの結果です。このことをしっかり理解していれば、これまでとは、まったく違った人生を築くことができるでしょう。なぜなら、エネルギーはどんな形にも変化しうるからです。そして、**すべてのものはあり余るほど存在しますが、望んだ分しか与えられないのです。**

願うことは、エネルギーの交換のようなものです。

私たちはエネルギーを送り、エネルギーを受け取ります。そして、試行錯誤しながら自分が思い描いたとおりの世界をつくろうとするのです。私たちは常に存在しているエネルギーを、意図した形につくり替えたり、願いの力で引き寄せたりすることができるのです。

ここで共鳴の法則が関係してきます。

②共鳴の法則

同じものは常に引かれ合う、といわれています。一方、異なるものは常に反発し合います。同じものが引かれ合うと、それによってエネルギーが強まります。つまり、共鳴するのです。

共鳴については、身近なところではピアノの弦がよく知られています。一本の弦が叩《たた》かれると、同じ調子に調律された弦がいっしょに振動するのに対し、他の振動数に合わせてある弦は微動だにしません。

私たちの思いのエネルギーも、ピアノの弦と同じように、一定の周波数で振動しています。ですから、私たちが何かを考えると、その考えと同じ波動をもつものを動かすことになります。

当然のことながら、これと逆のことも起こります。つまり、私たちは自分の思いと同じような波動をもつ、世の中のすべてのものに動かされているわけです。私たちの思いは、似ているものを何でも引きつけてしまう、見えない磁石のようなものなのです。

さて、すでに裕福な人ばかりが、さらなる富を手に入れるのはなぜでしょう？　それは彼らが、裕福になることだけを考えているからです。彼らの考えの中には、それ以外のことは存在しません。彼らは富という波動の中で暮らしているのです。**成功は成功を引き寄せ、不幸はさらなる不幸を引き寄せるのです。**

私たちは恋をすると、愛することの幸福感に包まれ、すべてがうまくいくようになります。それは、世の中をポジティブな目で眺めるようになるためです。ポジティブな思いは、ポジティブな世界をつくり上げます。すると、「私、とっても幸せ」「世界は私の思うがまま」「何もかもがうまくいく」と考えるようになるのです。

実際に、世界はあなたの思うままです。なぜなら、宇宙がこの言葉を受け止め、そのとおりに処理するからです。

ところが、思いが変化し、愛のすばらしさを感じなくなったその瞬間から、私たちは世の中を批判的に眺めるようになります。「彼は私を愛していない」「彼女はきっと浮気している」「私のことなんて誰も愛してくれない」「私は美しくない」「私は意地悪で、器の小さな人間だ」「世の中のすべてが私の敵」と思うようになってしまうのです。

気持ちが変化すると、人生に起こる出来事も一変します。私たちが考えていることが現象となって現れるのです。それなのに、自分がそれを引き起こした張本人であることには気づきません。自分をよく観察してみると、一日のうちにたくさんのネガティブな言葉を、ほとんど絶え間なく心の中で発していることがわかるでしょう。

波動は、私たちの考えや振る舞いにも共鳴します。これはポジティブなことでも、ネガティブなことでも同じです。

ところで、私たちは、自分とはまったく異なった波動をもつものには、まるで気がつきません。しかし、それはその波動が他の人に、あるいは一般的に存在しないという意味ではありません。

さらに生物学で説明する

「僕は、目に見えるものしか信じないよ」

「エネルギー？　波動？　まずは見せてもらおうじゃないか」

このような言葉は、根っからの「現実主義者」がよく口にします。おかしなことに、彼らはいまだに自信たっぷりにそう言います。どうして、それがおかしなことなのか？　それは、これからご案内する生物の世界への旅で明らかになるでしょう。理性がこのような言葉で私たちを不安に陥れようとしても、それに屈してはなりません。

なぜなら、実際には、私たちの感覚器官は、私たちを取り巻く真実のほんの一部しか知覚できないからです。

- 私たちの目で見ることができるのは、存在する光スペクトルのわずか八パーセントにすぎません

すなわち、**真実のすべてを知ることは不可能です。**真実の九二パーセントは、私たちの

目には見えません。他の感覚器官の場合は、もっと確率が悪くなるようです。

私たちは、目に見える八パーセントで、すべてがわかったような顔をしています。それは、私たちが残りの九二パーセントを知覚できないからです。つまり、私たちは真実よりも自分の感覚を信じているというわけです。


私たちの感覚はそれほど正しくない、ということをしっかり心に留めておきましょう。

それをうまく説明した話があります。

二人の盲人が象を触りました。

「象は丸くて硬い動物だ」

脚にふれたほうが言いました。ところが、もう一人は長い鼻を触りながら、こう考えていたのです。「象は細くて、いつも左右に飛び回っている」

同じように私たちも、自分の中に映像をつくり出しています。つまり、私たちは知覚しているほんのわずかなことを自分なりに映像として映し出し、それを真実だと思い込んでいるのです。

ところで、映像は何を基準にして、つくられているのでしょうか?

すでに体験したことが、判断材料となるのです！

では、感覚器官が知覚した八パーセントを、私たちはどのように扱っているのでしょう？　それらすべてを受け入れるのでしょうか？　いいえ、**私たちは、「知覚」しないことは私たちにとっては存在しないものとしているのです。**

真実の八パーセントしか知覚できないといっても、私たちが一日に受ける刺激は何百万にも上ります。たとえば、物音、騒音、映像、考え、会話、音楽、雑音などを認識したり、危険を察したり、さまざまな感情に反応したり、活発に動き回ったり、せかされるように行動したりします。他にも、手紙、電話、メールにこたえたり、自分自身あるいは他人のために決定を下したり、本を読んだり、イラスト集や専門雑誌を見たり、山のような広告に接したりもするでしょう。また、がっかりさせられたり、拒否されたり、他人の考え方や言葉に影響されたりと、さまざまなことを体験します。

つまり日々、大量の情報を処理しなければならないわけです。ですから、私たちは必要最低限のことしか考えられません。一つひとつに対してあれこれ思いをめぐらすための十分な時間などないのです。

そのため、理性はすべてを処理しようともしませんし、実際、それは不可能です。そんなことをしたら、理性はパンクしてしまうでしょう。

ですから、理性は多くのことをシャットアウトします。すでに知っていることや、熟知していることについては、無視するのです。近くで車が走っているからといって、それらすべての車に対し、理性が危険信号を発する必要があるでしょうか？　私たちは知っていることに対しては、無意識のうちに目を向けないようにしています。そうすることによって、重要な事柄に十分な時間を割こうとしているのです。

たとえば、バス停に立っている人に、車が何台通りすぎたかたずねても、絶対に答えられないでしょう。なぜなら、それは取り組む価値のないことだからです。同じように、どの人がどこで乗って降りたのか、あるいは何人の歩行者が横断歩道を渡ったかも、重要なことではありません。

そのとき、私たちは新聞を読んでいたのかもしれませんし、パートナーのことや、会社のミーティングのことを考えていたのかもしれません。**私たちは把握できる世界の、ほんの一部分しか自覚していないのです。**

私たちは、重要と考えることしか認識しません。実際には、一秒間におよそ一万一千個の刺激を受け、無意識のうちに脳に保存していますが、自覚するのは一秒間でたった九個の刺激にすぎません。つまり、私たちの潜在意識の中には、私たちの知らない無数の事柄が保存されていますが、自覚しているのはそのうちの千分の一だけなのです。

・私たちは、知覚できる八パーセントのうちの、さらに千分の一しか自覚しておらず、それをすべての真実だと思っている

私たちが体験する真実は、私たちを取り巻く全体の真実と比べれば、消えてなくなりそうなくらいのわずかなことです。ですから、私たちは世界を完全に知覚することはできません。それでも、私たちは一日に何千回も、意識的あるいは無意識のうちに、何を知覚するか決めています。知覚されなかったことは、私たちにとっては存在しないに等しいわけなのです。

人生のある事柄を長いこと知覚せずにいると、私たちは、それがこの世に存在しないと信じ込むようになります。

しかし、それはまちがっています！　理性は、ほんの少しのモザイクで映像をつくっているだけです。私たちのまわりにある、残りの何千ものモザイクは知覚されません。それらは理性のつくろうとする映像に合わないのです。

こうして、理性は知覚したことがすべてである、と私たちに思わせようとするのです。

では、さまざまな映像を欲するとき、つまり、もっとたくさんの可能性を提供してくれる変化に富んだ世界で暮らしたいと思うときには、いったいどうしたらよいのでしょう？　違う真実を取り込むには、どうするべきなのでしょう？

まず、私たちが今まで知覚していたよりも、現実にはもっとたくさんのことが存在すると理解しなければなりません。理性は、未知なることを受け入れるのに、少なくとも三回はそれを見聞きする必要があります。ですから、この章をくり返し読むことは、理性にとって意味のあることです。そうやって、お決まりの思考パターンから理性を解放してやるのです。

もう一つ大切なのは、私たちの注意を願いに向けることです。私たちの人生の中に、新しいことを生じさせるためには、別の考え方を取り入れなくてはなりません。

引き寄せたいものに周波数を合わせる

引き寄せたい物事に、チャンネルを合わせるのです。これは、ラジオの周波数を替えるようなものだと思ってください。

でも、どうやって？

たとえば、素敵なことを考えたり、神聖な言葉を口にすることによって、私たちは波動を高めることができます。聖なる音節である「ＯＭ（オーム）」という言葉を唱えてみたり、あるいは、ポジティブな言葉をくり返してみるだけでも、思いの波動が高まり、達成不可能と思われていたことが可能になるのです。

ポジティブな考えは、ネガティブな考えより高い波動をもっています。

ポジティブな願いを発すると、今まで自分の人生にはなかったことにチャンネルが合います。すると、私たちの前に新しい世界が広がるのです。

人は望んだ波動とかかわらないかぎり、それを手に入れることはできません。つまり、波動が合わなければ、望んだような人に出会うこともありませんし、その声を聞くことも、ふれることも、当然深い関係になることもありません。

実際に、私たちが意識の中で何かを長いこともちつづけていると、それは外の世界で具体化されます。しかし残念ながら、意識された願いだけが、すべての願いではありません。私たちの中には、絶えず発信されている別の強力な願いが潜んでいるのです。

次の問いについて、考えてみましょう。

☆潜在意識の中にあるものは何だろう？

願いは、無意識のうちにふるいにかけられることがあるのでしょうか？　もしあるとするなら、私たちの内側に願いを邪魔するものが、存在しているのでしょうか？

「どうせうまくいかない」と考えていませんか？

願いが実現しないときには、たいていその願いよりもっと強い力をもった二番目の願いが存在します。この第二希望は、第一希望に対する滑り止めとして作用しています。つまり、第一希望より強い確信があるものです。

私たちは何かを望むとき、どのように取り組んでいるのでしょうか？　自分の願い方をじっくり観察してみると、願いの要点をはっきりと思い浮かべてポジティブに取り組んでいるのは、一日のうちせいぜい十分間ぐらいでしょう。その後、再び日常生活へと戻っていきます。

では、残りの二十三時間五十分はどうでしょうか。「うまくいきっこない」「すべてはナンセンスだ」「願いをかなえてもらう資格なんて、どのみちないさ」「どうせ負け犬なんだ」「運をつかむのは他のヤツに決まってる」などと考えてはいませんか？

そうなると、どちらの願いが大きな力をもっていることになるでしょう？　不変的で力強い願いはどちらだといえるでしょうか？

意識的に考えることと、無意識に確信していることが、異なっていたり、相対立していることはよくあります。願いに手が届きそうなときですら、もたらされたプレゼントをどうしてよいのかまったくわからない、ということもしばしばです。そんなとき、チャンスは使われぬまま去ってしまうのです。

つまり、こういうことです。何かを強く願っていたけれど、それを受け入れる心の準備がまったくできていなかった。すると、願いがもたらされても、私たちはそれを実際に果たすことができないのです。

少なくとも、私の場合はそうでした。

かなうのが早すぎた夢

二十年前、すでに私は物書きになりたいと、心から思っていました。でも、何を、誰のために書けばいいのか、明確になっていませんでした。しかし、私ははっきりと望んでいたのです。自分の本を出したい、と。私は自分の願いを言葉にし、宇宙に感謝しました。そして、願いはかなえられると信じていました。

それから数週間後のある夜、私はベルリンにあるディスコのバーカウンターにいました。すると、ある男性が突然、私のほうに振り返り、話しかけてきたのです。

「あなたは本を書くでしょう。それも私のためにね」

まさに青天の霹靂《へきれき》でした。この人が私に何を望んでいるのか理解できず、私はただ笑うしかありませんでした。しかし、彼は何の迷いもなく、こう言い切りました。

「あなたにしか書けないことを書くんです。そして、私がそれを出版する」

彼は私に名刺を差し出しました。出版社の人だったのです。しかも大手の出版社でした。

「どうして、私が書くと思うんです？　そもそも、私に書く気があるかどうかも、まだわからないじゃないですか」

私は答えました。

「だとしたら、あなたに話しかけたでしょうか？」

彼は私に微笑《ほほえ》みかけると、こう言い残して去っていきました。

「あなたは何か書きます。人々に深い感銘を与えることをね。書き終わったら、電話してください」

驚きました。私の願いはかなえられたのです。一文字も書かないうちに、もう編集者を見つけてしまったのでした。

しかし、私には書くための心の準備がまったくできていませんでした。自分にそんな能力があるのか不安で、一行も書けなかったのです。もちろん、彼に電話することは、ありませんでした。

その代わり、私はガールフレンドとものすごいケンカをするはめになりました。私に運命的なチャンスが訪れたのに、自分には何もやってこないと言って、彼女は涙にくれたのです。何週間もの間、彼女は私を妬《ねた》み嫉《そね》みでもって攻撃しつづけました。そのおかげで、私は劣等感に陥っていました。結局、私は何も書くことができませんでした。

自分に腹を立てた私は、物書きの夢をつかむ代わりに、かつての成功の中に逃げ込んだのです。私は舞台の上で、他の作家の書いた台詞《せりふ》をしゃべっていました。と同時に、チャンスをものにできなかった私は、叩きのめされたような気分になり、自分を無能な人間だと感じていました。

すべては、準備が不十分なまま願ってしまったせいでした。

願いはかなったのに、私はそれをものにすることができませんでした。それは、私が内側の奥深いところで、願いとはまったく違うことを考えていたからです。

「僕には書けない。書けなくたって、誰も何とも思わないだろう。ただ、恥をかくだけさ。僕はほら吹きのペテン師だ。もし、本当の自分を見せたなら、僕には何もできないことが、みんなにわかってしまうだろう」

私はこう自分に語りかけていました。

このように、人生は、自分が常日ごろ考えている方向へと進んでいくのです。**私たちが考えるように、私たちはなるのです。**

ですから、私たちは自分が考えていることを、認識しなければなりません。私たちが今生きている人生は、どんな思いの働きによってつくり上げられたのでしょうか？　自分の中で起こっているすべてのことを認識するのは、簡単だとはかぎりません。なぜなら、その多くは無意識のうちに進んでいるからです。

さて、私たちの内側では、何が起こっているのでしょうか？　それは、私たちの物事に対する態度や、考え方からもわかります。しかし、私たちの内側には、思いの働きによってつくり上げられた、もっと強力なものがあるのです。さて、それはいったいどんなものでしょうか？

あなたはどんな固定観念をもっていますか？

私たちは、親や祖父母、きょうだい、先生など、外からたくさんの影響を受けて育ってきました。彼らの、私たちへの接し方あるいは他人への接し方、問題解決の仕方、パートナーとの関係の築き方、世の中に対する考え方など、私たちはとても多くのことを、彼らから学んできました。そして、私たちはそれらを何の疑いもなく、当たり前のこととして受け入れてきたのです。

私たちが信じていることの多くは、彼らから学びとったことです。ですから、私たちは子どものころから、目をそむけていることがたくさんあるわけです。信じていることは現実となりますが、信じないことは起こりません。つまり、私たちが目をそむけていることは、現実にはなりません。こうして、思い込みの固定観念でもって、私たちは人生の豊かさに自ら制限を加えているのです。**固定観念は命令なのです。**

私たちの人生は、同じようなパターンがくり返されています。それは、私たちの思考パターンが制限されているためです。私たちは、自らの固定観念に従って、自分の住む世界を築き上げています。自分の考えを信じ、気持ちを集中し、思いを実現させているのです。

私たちがまったく別のことを考えれば、人生は違ったものになるでしょう。とはいえ、そう簡単に自分の考えを変えられるものではありません。多くの固定観念は、私たちの奥深くに根を張っていて、それを取り除いたり変えたりするのは、とても難しいことです。それどころかたいていの場合は、固定観念の存在に気づくことさえできません。でも、とてもよい方法があります。

次の項目の中から、あなたの考えと同じものに印をつけてください。あなたの内なるメッセージは、何でしょう？　外からの影響によるものは、どれですか？

□　私は役立たずだ
□　それは私にはもったいなさすぎる
□　私が幸せになることはけっしてないだろう
□　誰が私のことなど好きになるというのか？
□　私には達成できない
□　他の人のほうが私よりすごい
□　神なんていない
□　セックスは悪いことだ
□　恋をすると、つけこまれる

□ 真の愛など存在しない
□ 愛する者はだまされる
□ 私には常にお金がない
□ 私はベッドの中では他の人にかなわない
□ それがどうにかなるとは思えない
□ 絶対に、正確にはできないだろう
□ 愛はただでは手に入らない
□ 私は重要ではない
□ 自分の何を変えられるというのだ
□ 争うよりも譲歩するほうがまし
□ どうせまた負けるさ
□ ありのままの私を好きになってくれる人なんて、いないだろう
□ 欲しいものはけっして手に入らない
□ ありのままの自分を見せたら、みんな去っていくだろう
□ 自分の行いが恥ずかしい

□ もし〜だったら、すべてがうまくいっているのに
□ お金がからむと友情関係は壊れる
□ 本当は〜なのに
□ 私は〜をしないほうがいい
□ 何もかも、自分の責任だ
□ 私の言うことなんて、どうせ誰も聞いてくれない
□ 女は理解できない
□ 男は理解できない
□ 誰も私のことを心配してくれない
□ 踊りが下手だ
□ 計算が苦手だ
□ することなすこと、すべて裏目に出る
□ 私は一人の男も十分に満足させられない
□ 私は一人の女も十分に満足させられない
□ それはけっして習得できないだろう

□ 私はいつも運が悪い
□ セックスについて話すべきではない
□ 私は常に自分自身に嘘《うそ》をついている
□ もう誰も信用しない
□ 自分自身も信じられない
□ マスターベーションをしてはいけない
□ 人生はつらい
□ 仕事は大変だ
□ たくさん働かないとお金は手に入らない
□ お金は人格を腐らせる
□ 私は何も覚えられない
□ 私は物事を考えるのに時間がかかりすぎる
□ 言うべきことは何もない
□ 私は無視されている
□ 私は愛されない

□ パートナーなしでは生きられない
□ 休んだら、ダメになってしまう
□ リラックスできない
□ 私の希望は何もかなえられない
□ 愛は人を傷つける
□ 愛ははかない
□ 努力して何でも身につけなければならない
□ 私はいつも利用されてばかりいる
□ 美しくあるためには、苦労がともなう
□ 自分をほめるなんて、とんでもない
□ 彼は私にはふさわしくない
□ まず、借りは返しておくべきだ
□ 努力なくして成功なし
□ そのようなことを願ってはいけない
□ 私は意地悪で器の小さな人間だ

□ この世のすべてが私の敵だ
□ 私の人生に奇跡は存在しない
□ 私の仕事は価値がない
□ 満足することはけっしてない
□ 私には十分な能力がない
□ 誰も私を愛してくれない

さらに、あなた自身のことについて続けてみましょう。

□ 私は孤独だ
□ 私は愚かだ
□ 私は無力だ
□ 私は価値がない
□ 私はお荷物でしかない
□ 私は偉大だ

□ 私は罪深い
□ 私はできそこないだ
□ 私は臆病《おくびょう》だ
□ 私は音楽の才能がない
□ 私は怠け者だ
□ 私は心の病をもっている
□ 私は太りすぎている
□ 私はやせすぎている
□ 私は背が低すぎる
□ 私は十分に賢いとはいえない
□ 私はいやな人間だ
□ 私は内気だ
□ 私はまじめすぎる
□ 私は不まじめだ
□ 私は独身でいることを選んだのだ

□ 私は未熟だ
□ 私は保守的だ
□ 私は外の世界に出られない
□ 私は表面的だ
□ 私はセックス依存症だ
□ 私はセクシーではない
□ 私は口が達者だ
□ 私はインポテンツだ
□ 私は不感症だ
□ 私は変態だ
□ 私は普通ではない
□ 私はすぐに誘いに乗ってしまう
□ 私は非力だ
□ 私は想像力がない
□ 私は横柄だ

□ 私は誰に対しても厳しい
□ 私はいつも気が散っている
□ 私は他の人とは違う
□ 私はユーモアに欠けている
□ 私は口下手だ
□ 私はかわいそうな人だ
□ 私は年をとりすぎている
□ 私は魅力的ではない
□ 私はエゴイストだ
□ 私はいつでも疲れている
□ 私は不器用だ
□ 私は外見に自信がない
□ 私は不健康だ
□ 私は不幸だ

この中で、どれがあなたに当てはまりますか?
あなたの心の会話と同じものは、どれでしょう?
現実になってしまったものは、どれでしょうか?

一つも印をつけなかった人は、いないでしょう。

印をつけた項目は、あなたが無意識のうちに絶えず発信しているメッセージです。これらの無意識なメッセージで、私たちはたびたび意識的な願いにブレーキをかけたり、願いを変更したりしているのです。**思いはきわめて強いメッセージなのです。**

メッセージは、絶え間なく発信されています。

たとえば、**愛を手に入れるには何か特別なことをしなければならないと思い込んでいると、そのメッセージが絶えず発信され、実際にそうなります。たくさん仕事をしないかぎりお金は手に入らないと信じていると、それが現実のものとなるのです。**

• 私たちの人格は、さまざまな思いが混じり合ってできている

・私たちの本当の願いは、無意識に抑えられている

新たな願いを宇宙に発信するとき、古い願いを取り消そうとして、新しい願いを何度も唱える必要はありません。宇宙は私たちが思っている以上にすばやく柔軟に対応してくれます。

けれども、いくらか時間がかかるときもあります。それは、私たち自身が自分の新しい考えを信じていないがために、疑いをもって願いを発信するときです。すると、通販会社の「担当者」の元に奇妙な願いが届いてしまいます。

この場合、新しい願いと古い願いのどちらが優先されるでしょう？　もちろん、長い過去をもつ願いです。つまり、私たちがどんなふうに考えているかで、どの願いが届けられるかが決まるのです。

自信のなさが表れている願いは、たくさんあります。

たとえば、「私は美しい」という意識的な願いが発信されても、本人がそれを心から信じていなければ、ほとんど役に立たないのです。一日に十分間だけ意識的に願っても、残

りの二十三時間五十分はその願いを疑っているとしたら、どちらの思いが強いことになるでしょう?

固定観念から解放されるには

では、固定観念から解放されるには、どうしたらよいのでしょう? そのためには、そのルーツを探らなければなりません。

一番よい方法は、先ほど印をつけた項目を紙に書き出し、これらの固定観念がどこから発生したのか、よく考えてみることです。いつ、どこで、どんな体験によって生まれたのでしょう? くり返し、自信たっぷりにそう言っていたのは誰ですか? 「あなたはこんな人」と、私たちに言い聞かせてきた人は誰ですか?

それがわかれば、私たちは真実を発見することができるでしょう。

静かに腰を落ち着けて、リラックスします。印をつけた項目の中からどれか一つ選んでください。そして目を閉じ、くり返し自分にたずねます。「すべてはどこから、始まったのだろう?」――あなたはきっと驚くでしょう。もうすっかり忘れていた映像が浮かび上がってきます。遠い過去の、けれども今なお自分に影響を与えているあの出来事です。するると、突然気がつくでしょう。私たちが信じていることの多くは、ただ親がそうくり返していただけなのかもしれません。それをいつからか、事実として受け入れるようになったのです。私たちは幼いころから、このようなまちがった固定観念を植えつけられているのです。

私たちがネガティブに感じていることが、じつはそうではなく、ただ思い込んでいただけなのだとわかれば、自分自身に対する考え方は変わるでしょう。私たちは、今までとは違った目で自分を見るようになります。すると、これまで信じていたことに確信がもてなくなることでしょう。それでいいのです。なぜなら、それによって宇宙へ発したネガティブな命令の力が奪われるからです。

この練習の目的は、ネガティブな命令を弱め、ポジティブな命令を強めることです。この二つは同時に進めることができます。なぜなら、ネガティブな考えをなくすと、そこに新たにスペースができるからです。ですから、ネガティブな命令にブレーキをかけることと並行して、ポジティブな願いのリストを書く作業も積極的に行ったほうがいいでしょう。

奇跡は、ポジティブな思いによって起こるのですから。

復習

- すべての物事はエネルギーでできている
- 私たちが考えていることは現実になる
- 私たちが何を望もうが、エネルギーにとっては重要ではない。それがよい結果をもたらすか否かにかかわらず、エネルギーは望まれたとおりに働く
- 私たちは固定観念と信念によって、自分の限界を設定している
- 私たちはネガティブな命令で自分自身の可能性を制限している
- 私たちが経験することは、私たちが信じていること
- 私たちが可能だと思えば、いかなることも可能になる

さて、それではここで、「もっと魅力的になりたい」という願いを例にとって考えてみましょう。私は美しい、と自分自身を納得させるためには、どうしたらいいでしょうか?

美しくなるための練習

静かに過ごせる時間を見つけましょう。そして、邪魔の入らない場所を探します。心地よいやわらかな明かりがあれば、なおよいでしょう。さらに、玄関やバスルームにあるような、大きな鏡を用意します。

その大きな鏡の前に座ります。できれば裸が一番いいでしょう。普通は、ここで何が起こるでしょうか？　自分の体の欠点が目につくはずです。太りすぎ、ぶよぶよしている、しまりがない、たれている、ふけている、肌の色がさえない、しわが多い、不格好……。私たちは、たいていすぐに肌のさまざまなトラブルやコンディションに注目します。

誰かに美しいと言われても、私たちは断固としてそれを受け入れず、自らすすんで体の欠点を示します。これこそ驚くべきことです。私たちはみな、美しくありたいと思っているのに、誰かにほめられると即座にそれを否定し、本来なら隠しておきたいはずの自分の欠点を、さらけ出してしまうのです。

このようにして、私たちは常に自分の醜さを相手に納得させると同時に、自分自身にも納得させているのです。

私たちは、自分自身のもっとも偉大な評論家なのです！

相手が「まちがい」に気づくまで、私たちは食い下がります。これこそ、美しい姿ではありません！　説得し終えたときには、たいてい深い悲しみに陥っています。つまり、美しくないということは、不快なのです。それなのに、私たちは毎日、自分と他人を説得して回っているのです。

目の前の鏡に話を戻しましょう。今日はいつもと違うことをします。今日は、リラックスして自分を観察してみます。評価することなく、自分の呼吸を、肌を、関節をじっくりと見てみましょう。だんだん心地よくなってきました。これが、たくさんの仕事を成し遂げる私たちの肉体です。私たちがどんなにこき使おうが、厳しく当たろうが、踏みつけようが、いつも私たちのためにそこにあるのです。この肉体なしには、数々のすばらしい経験もできなかったでしょう。

ここで、しばらくの間、自分の肉体に敬意を払い、感謝します。

そして、体の好きな部分に気持ちを集中してください。髪の毛でしょうか？　口、肩、指、足の親指、胸、あるいはお尻《しり》かもしれません。もしかしたら、おへそ〝だけ〟かもしれません。でも、どこかしら気に入っているところが、あるはずです。そこに気持ちを集中させ、次のように確認するのです。

「私は心の準備ができています。今ここで、美しくなるための願いを唱えます。私は自分の美しさを受け入れます。ネガティブな考えは私にふさわしくありません。ネガティブな力は日に日に、弱くなっていくでしょう。私は自分の体を愛し、尊敬しています。私は美しくて魅力的です。それは私にふさわしいことなのです」

何日間かにわたってこれをくり返し、自分自身と肉体を丁寧に見つめると、自分の好きなところが、どんどん見つかるでしょう。私たちは日を追うごとに、自分自身を受け入れていくのです。私たちの体は、なんと美しく、すばらしいのでしょう。私たちからの敬意と称賛によって、この体は日々美しくなっていくのです。

といっても、私たちの体がある日、突然美しくなるのではありません。自分自身に対するイメージが変わってくるのです。不自然なものさしをあてがうことをやめた私たちは、「クラウディア・シファーやブラッド・ピットみたいになれたら最高なんだけど」などとは言わなくなります。そして、自分の今の肉体の美しさに気づくのです。中身の美しさは、外見の美しさを引き出します。つまり、実際に私たちの体は美しくなり、魅力が増していくのです。

「私は美しい」というメッセージを何の疑いもなく発信できるようになってはじめて、願いは実現するのです。すなわち**自分の美しさを受け入れることが重要なのです。**

自分の美しさを受け入れられると、私たちは少しずつ、美しさの波動と調和していきます。私たちはエネルギーを発信すると同時に、その波動を高めます。エネルギー保存の法則と、共鳴の法則が作用しているのです。

間もなく「きれいですね」と声をかけられるようになるかもしれません。もう私たちは、以前のようなまちがいはくり返さないでしょう。

「ええ、私、日に日にきれいになってるの」

これは不可能でしょうか？　いいえ、不可能なことなど存在しません。

可能だと思っていれば、不可能なことはないのです。**「私たちは、どうしてうまくいかないのか」という、絶えずくり返される心の中の問いかけを、すぐにやめなければなりません。なぜなら、私たちは、失敗の理由を探しているだけだからです。**

可能だと思っていれば、多くの願いはすぐに運ばれてきます。私たちは、意識的あるいは無意識の思い込みによって、自分自身の人生をつくり上げていることを、けっして忘れてはなりません。

願いに不可能はない

ミュンヘンでの映画制作を終えた私たちは、その地が大変気に入り、どうしてもミュンヘンで暮らしたいと考えました。気候がよく、人々も親切なうえに、私たちの友人がみなそこにいたからです。そう、ミュンヘンは実際、私たちの故郷なのです。

そのとき現れたのは、きっとうまくいかないであろう、と私を説得にかかる、たくさんの考えでした。

- 故郷へ戻るのはそんなに簡単なことではない。なぜなら、娘のユリアはボンにあるイ

ンターナショナルスクールでドイツ語でなく英語で授業を受けてきた

- 英語で授業を行っている学校はどこもいっぱいだ。ユリアをミュンヘンの学校に転校させるのは、不可能だろう
- 学校のウエーティングリストは何年も先までいっぱいだ
- もちろん私たちは願うことができるけれど、現実的に見て、願いがかなうには時間がかかる。あと二日で、夏休みだ
- 学校にはもう誰もいないだろう
- 生徒名簿はすでにできあがっているだろうし、クラス分けも終わっている
- たとえ強く願ったとしても、今年はもうどうにもならない。きっと来年も無理だろう

けれども、私たちはすぐに、自らがつくり上げたネガティブな考えのわなにはまっていることに気がついたのでした。私たちは失敗を呼びよせようとしていたのです。

すぐに方向転換して、願いはじめました。何といっても「上手に願う」ことは、私たちの天性のようなものでしたから。

しかし、現実的に見て、この願いはとてもかなうとは思えませんでした。

ほら、またもや理性が邪魔しにやってきました。どうして無理だと決めつける必要がありましょうか。さっさと願えばいいのです。

私たちの願いがまとめられ、何とか発信されたところで、奇妙なことに、私はある名門インターナショナルスクールに電話したい衝動に駆られたのです。ミヒャエラはただニヤニヤ笑っているだけでした。「そんなこと、ナンセンスに決まってる。願いがかなうなんて、とうてい無理さ。うまくいくわけがない」と、私の理性は言いました。

しかし、ミヒャエラはかすかなエネルギーをじつにしっかりと、確信をもって見つめていました。二分もしないうちに、彼女は私の思いつきを行動に移し、学校の事務局に電話したのです。

すると、信じられないような奇跡が起こったのです。学校を離れる生徒がいるので、空きができるかもしれないというのです。明日は今年度の最後の日だが、ぜひ来てほしい、ということでした。とはいえ、楽観することはできませんでした。なぜなら、入学にはとても手間のかかる手続きが必要だからです。

翌朝、私たちは信じられない面持ちで、校長室に座っていました。学校に向かう途中、泣きながら歩いてくる夫婦とすれ違ったのですが、彼らの子どもの学年には空きがなく、入学できなかったため、イギリスへ戻らなければならないということでした。

そのとき、私たちは覚悟しました。学校長は親しみやすい人柄でしたが、毎年ここを訪れる大勢の人たちと同じように、私たちの娘の入学を許可してくれないかもしれません。でも、私たちは願っていました。願いが私たちをここ、校長室の中へと導いたのです。すると、奇跡的に、空きがあったのです。しかも、ユリアの学年に一人分だけ。

校長は長いことユリアと話したあと、いくつかテストをしました。二人が英語で言葉を交わし合った一時間後、奇跡が現実となったのでした。校長は私たちに向かってうなずき、ユリアの入学を許可すると、彼女の名前を新入生名簿に書き込みました。

信じられないことに、たった一日のうちに入学許可が下り、手続きをすませたのでした。あれから何年もたった今でも、他の親御さんたちから、信じられない奇跡だと言われています。

★第五の法則

疑わず信頼する

★信じないと言う人は、願いと逆のことが起こると思っている
★ネガティブなことを考えていると、それが現実になる
★成功を信じない人は、成功できない
★悪いことが起こることを疑う
★疑いは願いを取り消す
★願いを話すと、願いの力が低下する

私たちの中にある疑いは、願いにとてもネガティブな影響をもたらすものです。「上手に願う」には、疑いに力を与えないことがとても重要です。なぜなら、疑うことは、自分の願いはかなわない、と信じているのと同じことだからです。**信じないと言う人は、願いと逆のことが起こると思っているのです。**

私たちは常に何かを信じています。自分は何も信じない、どうせうまくいくわけない、と思っている人がいますが、これも信じているのと同じです。

不思議なことに、私たちは「上手に願う」ことを信じるよりも、疑うことのほうが得意なようです。そして、自ら物事を複雑にしてしまいます。人は、願いを発信すると同時に、疑いによってその願いを呼び戻してしまうのです。

私たちはよく、願いと並行して「どうせうまくいきっこないさ」という言葉を発したり、考えたりします。しかし、これもまた願いが発信されたことになるのです。つまり、「願いはかなえられない」「私の人生はうまくいかない」ということを期待したことになるのです。すると何が起こるでしょうか？　このネガティブなメッセージがそのまま届いてしまうのです。

「疑い」も願いの一つ

願いを何らかの形で制限してしまうと、その願いが一〇〇パーセント実現されることはありません。

不安を抱いているときは、願いにブレーキをかけてしまいます。なぜなら、願いの背後に「うまくいかなかったら、どうすればいいのだろう」という不安が隠れているからです。願いがかなうと確信していれば、不安は生まれないはずです。心配になってしまうのは、成功よりもむしろ疑いのほうを強く考えていることの表れなのです。

そして多くの人は言うのです。

「強く願ったのに、何も起こらなかったよ。はじめから、こうなるとわかっていたさ」

しかし、彼らがはじめからわかっていたこととは、何でしょう？　きっと、願いはうまくいかない、ということをわかっていたのでしょう。この「わかっていた」ことを彼らは願いといっしょに発信し、それによって願いからエネルギーがすべて奪われてしまったのです。

つまり、意識的に表された願いが、無意識の疑いに覆われていたのです。上手に願えたかどうかは、ネガティブな考えをいかに排除できたか、つまり、私たちの人生に邪魔が入るのをどれだけ防げたかで決まります。**ネガティブなことを考えていると、それが現実になります。**

すべてをポジティブに考えてみても、どんな呪文《じゅもん》や祈りを唱えてみても、私たちが心の奥深くで絶えず欠点を考えていたり、願いに制限を加えていたのでは、何の意味もありません。なぜなら、疑いの根は深いからです。しっかりと固定された信念であるため、実現されてしまうのです。**成功を信じない人は、成功できないのです。**

「疑い」から抜け出す方法

では、疑いをなくすにはどうしたらよいのでしょう？　自分には起こりえない、どうせうまくいきっこないさ、と常に耳元でささやく小さな声を、どうすればよいのでしょう？

その声を聞かないようにしたり、考えないようにする方法は、あるのでしょうか？

これは、ダイエットをしている人が、考えてはいけないチョコレートのことを考えてしまうようなものです。私たちは、チョコレートのことを意識的にまったく「考えない」ようにすると、ますます考えてしまいます。あることを「考えない」ということはできません。なぜなら、考えないという行為によって、すでにそのことを考えているからです。

ですから、何かをしないようにするのは、よい作戦ではありません。それによって、観念をつくり上げてしまうからです。

一番よい方法は、観念を受け入れて、評価しないことです。存在する観念が、ぶくぶくと泡を立てて上昇していくところを観察するのです――観念に、さらなる力や意味を与えようとしてはいけません。何も言わず、消えてなくなるまで放っておきます。

すると、新しい観念がやってきます。日常的な出来事から生まれた観念もあれば、過去の出来事による観念もあります。でも、それ自体はただの観念ですから、害はありません。ところが、私たちが観念に対してネガティブな感情を抱いたときから、邪魔をしはじめるのです。それを妨ごうとすると、逆に観念に力を与えてしまいます。「私にはやっぱりできない」とか、「絶えず観念が邪魔して願いをダメにする」と思い込むことによって、観念にマイナスの力が与えられ、失敗へのシナリオができあがってしまうのです。

つまり観念は、受け入れて評価しないようにするしかないのです。観念は、私たちの元にやってきては立ち去りますが、「上手に願う」邪魔はしません。自分の願いを信頼していれば、それを邪魔しようとする観念は力をもちません。なぜなら、私たちはそこにエネルギーを注がないからです。

さて、私たちはさらにもう一歩先に進み、疑いを逆手にとることもできます。**悪いことが起こるのを疑うのです。**

ネガティブな考えのほうを疑ってみましょう。そうすると、願いの妨げとなる観念が現れないよう、ブレーキをかけることもできるのです。

自分自身がいかに簡単に疑いに負けてしまうか、私は身をもって次のような体験をしました。とくに、追いつめられているときは、なおさらです。

理想的な家を願う

以前、私たち一家がボンからミュンヘンへ引っ越そうとしていたとき、私たちにはミュンヘンの小さなオフィスしかありませんでした。ミヒャエラは、とても前向きな考え方の持ち主で、私が毎日ラッシュの中を通勤しなくてもすむように、何が何でもオフィスの近くに美しい住居を見つける、と心に決めていました。そればかりか、徒歩三分以内のところに、美しい家を見つけるだろうと、確信していたのです。私も同じように確信していました。なぜって、私たちは願いを発したのですから。

しかし、行く先々の不動産屋では、そんな都合のよい話はないと首を横に振られつづけました。そんな物件はとても年内には見つからないだろう、と担当者ははっきり言いました。私たちが希望している地域では無理だ。現にホテル暮らしをしている人もいるくらいだ、と言うのです。新聞の広告欄にも載せてみましたが、やはり何の連絡もありませんでした。私たちが一生懸命探そうとすればするほど、願いがかなわなくなっていくように思われました。

引っ越し予定の四週間前になると、運送会社がピリピリしはじめました。彼らにしてみれば、どこへ荷物を運んだらよいのか、そろそろ知っておきたかったのです。私にしても同じでした。

運送会社は、前もって駐車許可を取ったり、他の車に対して駐車禁止の表示を立てたりしなければならなかったのです。それでも、「願った」家は、まだ私たちの目の前に現れてはくれませんでした。それどころか、この願いが失敗に終わることは、ほぼ確実でした。私たちは、楽観的に願いすぎていたのでした。

するとと、私の中で疑いが生じてきました。家具を入れる倉庫を借りたほうがいいのではないか。私はすでに他の対応策を考えはじめていました。今度だけは失敗する、と私は確信していたのです。しかし、ミヒャエラは自分の信念にゆるぎがありませんでした。「家は現れるわ。私たちは願ったのよ。どうして疑うの?」もちろん彼女の言うとおりです。でも、目の前で起きていることは、かなり深刻な状況になっていました。もし、宇宙が私たちの希望とは違う時間に願いを届ける予定にしていたら、どうするのだ? 私たちの願いと同時にたくさんの願いが宇宙に到着し、到着順に処理されているとしたら? 私たちの「担当者」は他の願いで手いっぱいなのではないか? オフィスにものすごく近い家などという私たちのささやかな願いなんかよりも、はるかに重要な願いがあるのだろう。

私はそんなことばかり、考えていました。

そもそも、運送業者に何と伝えればよいのでしょう?「宇宙にお願いしているところだから、大丈夫」とでも言うのでしょうか。そんなことをすれば、頭がおかしいと思われるでしょう。

正直に言うと、私もミヒャエラの頭は大丈夫……――いや、ここは頑固ということにしておきましょう――と思った瞬間もありました。最終的には夫婦の関係をうまくいかせるほうが大切でしたから、私はミヒャエラの意見を尊重することにしました。

でも、このまま何も手を打たなければ、家具が道ばたに放置されることになるかもしれません。たしかに、外に置かれたソファに座ってコーヒーを飲んでいる自分たちの姿を想像するのは愉快ではあります。しかし実際問題として、屋根のない生活では雨が降ったときに困るのです。

私はしだいに、イライラするようになりました。ミヒャエラが、彼女と同じようには成功を信じられなかった不動産屋と手を切ってしまったときには、さすがに腹が立ちました。どうして自分の願いを邪魔するエネルギーに囲まれなければならないの？　彼女は、そう思っていたのです。ですから、引っ越しの直前には、家が見つかっていないのはもちろんのこと、いっしょに探してくれる人もいませんでした。

それまで私は、「上手に願う」ことができていました。しかし、このときだけははっきりと限界を感じました。けれども、ミヒャエラは違っていたのです。女性というのは理屈にかなわないことをしたがります。どんな合理的な考えも、彼女たちにはなじまないようです。しかし、期限はじわじわと近づいていました。「ついにミヒャエラも現実を目の当たりにすることになる。現実の厳しさには勝てないのだ」と私はそう思っていました。今回ばかりは、すばやく願いが届けられるわけにはいかなかったのです。これで、私たちの家具は通りにぶちまけられることになるでしょう。

しかし、――私には理解しがたいことなのですが――ミヒャエラは、この現実を受け入れようとしないのです。彼女にとっては、疑う理由がないのです。その反対に、彼女は私を励ましました。それ以上疑わないで、願いがかなうと信じましょう、と。

すると、本当に奇跡が起こったのです。それは、まず、目立たない一軒の薬局から始まりました。そこの女主人が私たちに気がついたのです。もう何年も前のことですが、私たちはここで妊娠検査薬を買い、その二時間後にもう一つ買いに来たことがありました。というのも、検査結果がはっきり判定できず、薬剤師に聞いてくるよう私がミヒャエラにしつこくせがんだからでした。女主人はそのときのことを、まだ覚えていました。私たちが話をしていると、突然彼女が言ったのです。近々引っ越す友人が、家の借り手を探している、と。それも、すぐそこの角の家だというのです。

十分もしないうちに、私たちはその人に電話し、翌日に家を見せてもらう約束を取り付けました。もちろん、私たちは翌日まで待ちきれませんでした。その日の午後に、こっそりと家のまわりを歩き、まず外から観察してみたのです。その家を、私たちは気に入りました。私たちは、その家がもう自分たちのものになったような気がしていました。けれども、借りたいと希望している人は、私たちの他にもたくさんいるはずです。私たちがこの家を手に入れる保証は、どこにあるというのでしょう?

「私たちの願いが、届けられたのよ」

ミヒャエラは自信をもって微笑《ほほえ》みました。

すると、二つ目の奇跡が起こったのです。

私たちが、その場を後にしたときでした。一人の老婦人が現れて、庭の門を開けようとしたのです。ところが、門は何かに引っかかって開きません。彼女は家から離れたところにいた私たちを呼び止め、助けてほしいと頼んできました。私たちは門を開けてあげました。すると、門だけではなく、家の扉も開かれました。つまり老婦人は、明日、他の入居希望者たちと家を見学する予定だと伝えた私たちを、家の中へ招き入れてくれたのです。こうして、ひょんなことから「私たちの」家の中を見せてもらえることになりました。

その家は、私たちが探していた家そのものでした。私たちは感動し、どの家具をどこに置くか、思い浮かべていました。

でも、喜ぶのはまだ早すぎました。老婦人は、その場で決めることはできなかったのです。でも、お互いに好感をもったのだから、すべてを取り仕切っている息子さんに相談してみる、と言ってくれました。翌日、私たちは彼女の家族と知り合い、彼らと親しくなりました。それはとても素敵な午後でした。このときすでに、私たちがここに住むのは決まったようなものでした。後から、私たちより家賃をたくさん払える、はるかに収入の安定した人たちが見学に来ましたが、賃貸契約書を手にしたのは私たちでした。

奇跡でしょうか？　偶然でしょうか？　それとも願いが届けられたのでしょうか？

でも、まだ大きな問題が残されていました。この家は三か月後にならないと空かなかったのです。まだ家具が入っていたままでしたし、家主はこれより早い時期に家を出ることができないということでした。

しかし、それは私たちにとって、たいした障害にはなりませんでした。私たちの家具をすべて運び入れることを許してもらい、入居まではオフィスで寝泊まりすることにしたのです。

ところが、間もなく家主は早く引っ越し、私たちは予定より早く入居できました。期限内に届けられた、私たちのすばらしい家に。

家は私たちの望みどおり、オフィスから徒歩三分でした。しかし、それ以上にうれしいことがありました。それは、大家さん一家が寛大な人たちだったことです。そのうえ、隣人にも恵まれました。きわめて幸運なことです。

ミヒャエラは、やはり正しかったのです。願いは必ず運ばれてくるのです。どうして疑う必要があるのでしょうか?

疑いは、願いと反対の力です。**疑いは願いを取り消してしまうのです。**すべての予約を取り消すことなのです。疑いは、「やっぱり何も起こらない」という情報を発信します。それが意味することは、いたってシンプルです。「これは失敗する」ただそれだけです。するとと宇宙は、そのとおりのことをするのです。

もし、ミヒャエラがあれほどかたくなに願いを信じなければ、私はまちがいなく失敗の経験をしていたことでしょう。

願いを人に話さない

願いを成功させるためのもう一つの秘訣《ひけつ》は、他人に自分の願いを話さない、ということです。願いがかなうまでは、あなたの願いを誰にも話してはいけません。

しゃべりすぎたせいでエネルギーの力がなくなってしまったり、願いに敵対する人、嫉《しっ》妬《と》する人、疑う人などを呼びよせ、信念にすきを与えてしまったりする危険性があるからです。**願いを話すと、願いの力が低下してしまうのです。**

どうしてそうなるのでしょうか？

どんなアイデアも、はじめはただの思いつき、つまり、受け止められなければ消えてなくなってしまう、曖昧《あいまい》なイメージでしかありません。それがしだいに具体化され、やがて客観的なはっきりとした考えとなって頭の中に存在するようになります。そして、その考えが固まると、ようやくそこから大きなビジョンや具体的な計画が生み出されるのです。

イメージや構造がしっかりし、そこに十分な力が蓄えられると、人はアイデアを外の世界に持ち出して、仕事で新しいプロジェクトを成功させたり、まわりの人に喜んでもらったりと、さまざまな影響を与えることができるのです。

しかし、その時期があまりに早すぎると、うまくいきません。なぜなら、まだ自分自身が不安を感じているからです。この段階では、ちょっとけなされたり、見くびられただけで、計画をあきらめるほうへ流れていってしまうでしょう。

自らのアイデアとともに私たち自身が育ち、新しい計画に不安がなくなると、それが具体化され、逆風が吹こうが、敵が現れようが、私たちは自信をもって計画を実行できるようになるのです。

この世の偉大な発明家たちを見れば、これが真実であることは明らかです。アイデアを秘密にしておくことは、それが盗まれる危険を防ぐだけでなく、自分に十分な自信をつけるためにも、とても重要なことなのです。アイデアが失敗に終わって、物笑いの種になりたいと思っている人がいるでしょうか？　一度失敗すると、次からは自分の考えにさらに自信がなくなり、コンプレックスを感じるようになって、新しいアイデアや計画をまったく受け入れなくなってしまいます。

さらに、私たちは願うとき、まわりから頭がおかしいと思われるのではないかと心配になります。そんな「まともでない」ことを誰かに話したら、あやしい宗教にでも洗脳されているのだろうと片づけられ、相手にしてもらえなくなるのではないか、と不安を感じてしまうのです。

私たちをバカにしたり疎んじるのは、どのような人たちでしょう？　それは自分の人生がうまくいっていないがために、他人がうまくいくことも望まない人たちです。彼らは自分が信じないことは、私たちの人生にも起こるべきではないと考えるのです。そんな人たちには、願いについては何も言わないほうがいいでしょう。

十分に経験を積み、多くの願いがかなえられるようになったら、他人に自分の計画を知らせてもかまいません。なぜなら、そのときには、私たちは十分な自信があるからです。私たちは、観念の力を自覚しています。ですから、私たちにとって、もう「偶然」は存在しません。**私たちの成功は、他の人にも勇気を与えることができるでしょう。**

願ったことを忘れる

ちょうど今、沈黙について学んでいますので、ついでに自分自身に対しても沈黙してみましょう。つまり、それ以上考えないで、さっさと忘れてしまうのです。

願ったことを忘れることには、いくつかのメリットがあります。**一つは、忘れることによって疑うことも忘れる**ので、すべてのリクエストが逆行する恐れがなくなります。**二つ目は、忘れることで、私たちが願いをいかに信じているか証明する**のです。なぜなら、願いがかなうと確信しているとき、私たちはもうそれ以上、願いにかかわらないからです。かかわるのは、宇宙の仕事です。私たちがすべきことは、願ったことを受け入れるために心を開く、それだけです。どんなに差し迫った状況にあっても、心を開いてさえいれば、宇宙は必要なときに、必要な場所へと私たちを導いてくれます。この間、私はそれを経験しました。

ピンチにこそ願う

「上手に願う」ことはどんな状況でも効果があります。とくに、人生がうまくいっていないときこそ、大きな効果を発揮します。ピンチに陥ったとき、私たちは願うことなどまったく忘れてしまい、悪あがきするものですが、願うことでこの無意味な行動からすばやく解き放たれるのです。

オランダのアムステルダム空港で私が経験したことがよい例です。予想外の大雪に見舞われ、空港全体の機能が麻痺《まひ》してしまったときの話です。何時間も辛抱強く待っている間に、吹雪はますますひどくなり、その夜、空港は完全に閉鎖されてしまいました。絶望的な状態でした。空港で夜を過ごす人のために、飲み物と毛布と枕《まくら》が配られました。

むくれたり、猛烈に腹を立てたり、ケンカしたりして、みんながくたくたに疲れきっていました。しかし、どうにもならないことに対する彼らのネガティブな考え方は、その夜を不愉快なものにするばかりでした。おびただしい数の人々がチケットカウンターに並んでいました。飛行機に積み込まれていた荷物を捜している人も大勢います。その後の見通しについてきちんとした情報をもっている人はどこにもおらず、みんなお手上げの状態で、ただささ迷い歩いていました。

私もはじめのうちはそんな状態でした。みんなといっしょになって、やきもきしていたのです。というのも翌日に、とても重要な予定が入っていたからです。私は、ぶ厚いダウンジャケットの中で汗をかき、自分自身を見失い、意味のない行動をとっていたのです。

突然、私は「上手に願う」ことを思い出しました。どうにもならないことは、どうがんばっても変えられません。

「どんな瞬間にも人生を楽しもう。いつも最善の解決策だけをリクエストしよう」

この夜は、まさしくそれが必要だったのです。

私のリクエストはとても単純でした。

「今夜は素敵で静かなホテルに泊まり、ミュンヘンへ帰る一番よい方法を手に入れます。今、私の心は開かれ、情報を受け入れる準備ができています。ありがとうございます」

私は願いの最後に感謝の言葉を述べました。この状況をさっさと忘れる心構えもできていました。すべてが最善の方向に転がる。私はそう確信していたのです。

とりあえず、私は落ち着いて腰かけ、めったにお目にかかることのできない、この大混乱を観察していました。空港が閉鎖されるなんて、毎日起こることではありませんから。そのとき、私にすばらしいことが起こったのです。翌日、空港の業務が再開されるかどうかも、まったくわからない状態の中、たくさんの人々が翌日のチケットをめぐって争っている間、私は座ってコーヒーを飲んでいました。そのとき私にわかっていたことは、何か得策があるだろう、ということだけでした。

空港ホテルも、隣接するホテルも、すぐに部屋がいっぱいになってしまいました。それにもかかわらず、私はだんだん冷静になっていきました。人々は失望し、子どもたちは泣いていています。刻々と時間だけが過ぎ、ここから抜け出せる望みは、しだいに薄くなっていきました。レンタカーも大変な混雑で、借りられる車は一台も残っていません。そのとき、私の理性が現れて、私を叱《しか》りつけました。

「なんでタイミングよく車を手配しないんだ！」

しかし、それでも私は冷静でした。ということは、レンタカーはどうやら得策ではないらしい。

おなかがすいてうろうろしていた私は、コーヒーカップを持ってカウンターによりかかり、興奮した人の群れを観察していました。すると、急に後ろでパタンと音がすると、窓ガラスがすっと横に開いて、愛想のよい声が私にたずねてきたのです。

「どちらまでですか？」

私は、列車のチケットカウンターによりかかっていたのでした。

「ミュンヘンまで」

私はびっくりしながら答えました。

「七時三分発です。乗り換えが一度あります」

女性はそう言うと、私が答えるよりも先に、チケットを私のほうへ押し出しました。

「明朝、空港駅、またはアムステルダム中央駅から乗車できます」

考える間もなくチケットを買って、ふと振り返ると、私の後ろには長蛇の列ができていました。カウンターが閉まっていたときは、私しかいなかったのに、今は押し合いへし合い、たくさんの人が並び、一番後ろの人は一時間以上待たなければならないほどでした。

翌朝七時までの時間をつぶすために、私はあたりをぶらぶらとあてもなく歩き、地下へ下りていきました。そこにはちょうどアムステルダム中央駅行きの電車が止まっていました。列車は、私が乗車すると同時に発車しました。すると、泊まるところはあるのか、と車掌が私にたずねてきました。そして、聞いてもいないのに、この雪で駅前のホテルはおそらくどこも満員だろうから、と言って中央駅から徒歩十分のところにある石畳の狭い路地沿いのホテルを教えてくれたのです。

中央駅では、三、四十人の人が長い列をつくって不機嫌にタクシーを待っていました。駅前の二つのホテルからも断られ、重い鞄《かばん》を持ってきょろきょろしながら歩いている旅行者もいます。そんな中、私は平然と雪を踏みしめながら、言われたとおりの道を歩き、ホテルを見つけて、最後の一つの部屋を手に入れたのです。

そして、食事と、成功の夜を締めくくるシャンパンを一杯、注文しました。

行列に並んで列車のチケットの争奪戦に参加することもなく、あっという間にその夜の最善の策が現れたのでした。

ところで、実際に、列車に乗ることが適切で、しかももっとも早く帰宅する手段だったのでしょうか？

翌朝、ホテルのロビーで寝ている人たちを見て、空港はまだ閉鎖されたままで、一日中、再開のめどが立たないだろうとわかりました。飛行機の中で四時間も待たされ、疲れきったあげくに、降機しなければならなかったという人も大勢いました。

ドイツ行きの列車に乗ると、混み合う駅舎のホールで一晩過ごした人たちといっしょになりました。彼らは、高速道路も閉鎖されたことを教えてくれました。レンタカーを借りた人たちは、何キロも行かないうちに引き返さなければならなかったそうです。つまり、列車がやはり最善の、いえ、アムステルダムからミュンヘンへ行く、その日の唯一の方法だったのです。

上手に願わなかったら、私はとんでもない一夜を過ごし、さらに空港で無駄に待ちつづけるはめになったことでしょう。しかし、上手に願ったおかげで、白い嵐《あらし》が過ぎ去るまでの間に、私はぐっすりと眠り、翌朝、食堂車で気持ちよく朝食をとっていたのでした。

ある状況が、ひどいものになるか、すばらしいものになるか、さらなる悪化の一途をたどるか、最高のものへと発展するかは、一人ひとりにかかっています。

物事は、ありのままなのです。それを自分に有利なように変えるかどうかは、私たちの一瞬の決断次第なのです。決断は物の見方でしかありません。私の人生のモットーは、いつでも最善の方法だけを期待することです。それには「上手に願う」ことが一番なのです。

★第六の法則

「偶然」を受け入れる

★宇宙はいつでも、もっとも早くて簡単な方法を探し出す
★直感とは、自分自身を受け入れること
★直感の作用は現在にしか働かない

願いがどんな方法で届けられるか、予測することはできません。なぜなら、**願いはほとんどいつでも、絶対にありえないと思われる方法でかなえられるからです**。ですから、願いはかなえられる、とただ心の準備をして待っていればよいのです。願いが届くであろう方向を予測して、そちらばかりを見ていると、受け取りそこねるかもしれません。なぜなら、リクエストしたことが届けられる方法は、私たちの貧しい想像力の範囲を超えているからです。宇宙は、私たちよりはるかにアイデアに富んでいます。ですから、私たちはよく「奇跡が起こった」と言います。急にたくさんの「偶然」が人生の中に起こると、とても驚くからです。

宇宙は驚く方法で届けてくれる

ところが実際には、私たちの願いがただ具体化されているだけなのです。そして、それはしばしば、私たちが予想していなかった方法で実現されます。しかし、ここでいう「予想していなかった」とは、私たちの想像力が及ばないという意味であって、実際には、願いが実現される方法はたくさんあるのです。

たとえば、お金が欲しいと願うときに、どんな方法でお金が私たちのところへやってくるかについて、絶対に決めつけてはなりません。エルナおばさんがお金をくれるだろう、などと信じ込んでいると、私たちは乏しい想像力に邪魔されて、実際に願いが届いてもそれに気づかないのです。**宇宙はいつでも、もっとも早くて簡単な方法を探し出してくれるのですから。**

エルナおばさんは、お金をあげようなどとは、まったく考えていないかもしれません。その場合、彼女は私たちの思いのエネルギーを受け止めてもくれません。彼女は私たちのエネルギーには共鳴しないのです。ですから、私たちが発信したエネルギーはエルナおばさんのことはそれ以上相手にせず、同じ波動をもつ何かに出合うまで、永遠にさまよいつづけるのです。

つまり、**私たちの願いのエネルギーは他のものの波動を変えようとしているのではなく、自分と同じ波動をもつものを見つける、宇宙の検索機の働きをしているのです。**

何が、あるいは誰が、私たちの願いに反応するかわからない以上、当然、どの方向からお金がやってくるか、私たちには知る由もありません。ですから、やってくる方向を特定してしまうのは、とても浅はかなことです。それなのに、私たちはすぐに決めつけてしまいます。私自身、はっきりとしたイメージを前もってつくり上げてしまったばかりに、願いが実現してもすぐに気がつかない、ということがよくあります。

アンテナを張って待つ

私はしばしば、飛行機より列車で移動します。そのほうが時間を有効に使えるからです。列車に乗るといつも、しばしの間、食堂車に座り、ノートパソコンで映画を見ます。あの日もそんなつもりでいました。いつものように私は出がけに、願いをさっと言葉にまとめ、発信しました。コーヒーを飲みながらケーキを食べ、その後で映画を見る、これが私の願いでした。ですから、ノートパソコン、DVDなど、必要なものをすべて携帯して家を出ました。

インターシティー・エクスプレス（ICE―ドイツ鉄道の新幹線）にはコンセントがついているのですが、あの日私が乗った列車は、なんと古型のインターシティー（IC）でした。ＩＣには、レストランはなくコンセントもほとんどありません。そのうえ、列車は超満員でした。唯一空いていた席は、テーブルを真ん中に挟んだ四人がけの座席で、向かいに座っていた人たちは、ニコニコ微笑《ほほえ》みながら、じっと私を見ていました。

私のリクエストは、どうして届かなかったのでしょうか？　列車がこんなに混雑しているのに、他の人に邪魔されない場所に座れたのは幸いだったかもしれません。しかし、好きなこともできないこの状況に、満足しろというのでしょうか？

とにかく、私は宇宙に対して不満を抱き、心の内で腹を立てていました。そのとき、向かい側に座っていた男性のひざに何かが当たりました。彼はひざをさすりながら、けげんそうに奥さんにつぶやきました。

「コンセントの差込口だよ。こんなもの、誰か必要なのかね？」

「私です！」と私は心の中で叫び、テーブルの下をのぞいてみました。そこには本当に、コンセントの差込口があったのです。私は、小さな映画館の電源を手に入れたのでした。さらに、この南ドイツのご夫婦は、食べ物の入ったかごを開けました。驚くことに、彼らはテーブルにきれいにごちそうを並べると、私にもカップを差し出したのです。それにケーキまで。

「ケーキなしのコーヒーなんて、味気ないったらありゃしない」

そう言って、男性はうれしそうにケーキをすすめてくれたのでした。


リクエストは発信され、宇宙はそれを届けてくれたのです。私のイメージとはちょっと違ってはいましたが、願いはすばやく実現されました。まさに、ここが「上手に願う」ことのおもしろさなのです。**願いはいつでもかなえられます。人は信じて、アンテナを張って待っているだけでよいのです。**なぜなら、たいていの場合、思いがけない方法で願いが届けられるからです。

しかし、届けられた願いを受け取りそこなわないようにするには、どうしたらよいのでしょうか？

直感に従う

私たちの願いは、どのようにかなえられるのでしょう？　きっと、私たちが期待しているのとは違う方法でしょう。残念ながら、何かを願い、それがいつでもすぐにテーブルの上に落ちてくるとはかぎりません。すべてはエネルギーの問題ですから、ときには願いが直接届かないこともあります。つまり、願ったことが見つかるところへ導かれるのです。

それでは、どのように導かれるのでしょうか？

もしかしたら、たまたま小耳に挟んだ言葉の中に大きな意味があって、それが私たちを導いてくれるかもしれません。また、心から離れないある考えによって、導かれることもあるでしょう。あるいは、いつもとは違う道を急に歩きたくなり、そこで「偶然」に古い知り合いに出くわし、これまたまったく「偶然」にある人の話が出て、「不思議なことに」その人が願っているものを持っていたりするのです。つまり、このような「偶然」に導かれることによって、探している家が見つかったり、必要な工具を持っている人やコンピュータに詳しい人を紹介してもらったり、私が列車の中で経験したように、コンセントの差込口を見つけてくれる人に出会ったりするのです。

エネルギーは導き、導かれます。ですから、私たちは心を開いてさえいればよいのです。願いを発信したら、届けられた願いを見逃さないよう、アンテナを張りめぐらせておくことが肝心です。そうすれば、必要な情報はすべて手に入るでしょう。

届けられた願いへと導いてもらう、もっとも賢いやり方は、直感を利用することです。直感。それはいったい何でしょう？　**直感とは、自分自身を受け入れることです。**

自分の直感とつながりをもちたいなら、気持ちに素直にならなければなりません。どんなに変でも、恥ずかしくても、こっけいに思えても、そうするのです。直感は、衝動的な行動です。やりたいことを思いついたら、それをするのみです。行動を起こす、それに反対する理由を探す必要はありません。慎重に考えたりせず、思いつきに従うのです。

直感は、理性と対立するものです。ですから、思いついたことに対してあれこれ考えてはいけません。直感は、集中して理論的に導き出した結果ではありません。直感は、感情を超えた感覚なのです。

直感の声に従おうとするなら、目的を決めることなく、自分をひたすら漂わせなければなりません。ですから、裏を探ったり、評価したりせず、かすかなひらめきに注意を傾け、ただそれに従うのです。過去に固執したり将来に狙《ねら》いをつけたりせず、今この瞬間を生きるのです。そうすれば、直感とつながることができるでしょう。**直感の作用は現在にしか働かないのです。**

直感の助けを借りて衝動的に行動すると、自分の感覚への信頼が深まります。すると、日々の生活の中で、願ったことを手に入れようと、自ら行動を起こさなくても、願ったほうへ自然と導かれるようになります。それは、私たちが送り出したエネルギーを再び受け止めるのと同じです。私たちの元へ戻ってくるエネルギーが、願ったことを受け取る場所へと、私たちを導くのです。これは、簡単に言うと、私たちを導く予感なのです。

もちろん、はじめのうちは確信がもてないものです。どんなことでもまずは練習と経験が必要です。けれども、直感がどのようなものか、まだよくわからないときでも、直感を信じようとするだけで、直感を感じる能力が多少は身につきます。そうするうちに、直感は私たちの一部になります。そうなれば、人はもう孤独ではありません。私たちの中には、願った答えへ導いてくれる崇高な力が存在しているのです。

心配しないでください。上手に願えば、いつでも願いはかなえられます。たとえ直感力がなかったとしてもです。しかし、直感を用いたほうが、早く願いがかなえられます。直感は、願いを受け取ることのできる場所を私たちに教えてくれるからです。

とはいえ、私もまったく直感に歯向かう行動をとっていたことがありました。それでも願いは届けられました。ときには遅れて届いたこともありますが。

さて、どのくらい具体的、直接的に直感が願いに作用しているのか、ここで小さな例を二つ紹介します。

特急で配達をお願いする

私はとくに急いで願いを届けてほしいときには、質問形式でリクエストすることにしています。「願っていることは、どこで手に入るでしょうか？」「……へ一番早く行くには、どうやったらよいでしょう？」というようにお願いして、私の直感に知らせるよう、意識的にエネルギーを送り出すのです。

そしてリラックスし、かすかな合図も逃さないように、耳を傾けます。答えは、レストランで隣り合わせた人がしゃべった言葉であったり、ときには新聞の見出しであったり、ラジオから流れてきた音楽の歌詞の中にあったりします。

その昔、私が自分の直感をまだそんなに信じていなかったころは、合図に気がつくのにいくらか苦労しました。直感なのか、理性の考えなのか、区別がつかないことがよくありました。

今でもよく覚えているのですが、仕事では成功を収めていたのに、どんどん孤独になり、むなしさを感じていた時期がありました。そのころの私の切なる願いは、「私の人生の意義は何か」を理解することだったのです。

あるとき、ミュンヘンのシュヴァービング地区にあるカフェに座って考え込み、いく度となくひとり言を言っていたのを今でも覚えています。

「いったい何なんだ！　何もかもがバカげてる！　こんなことをする意味がどこにあるっていうんだ？」

私はひどく腹を立てながら言いました。

「僕は答えが必要だ。それも今すぐに」

そのとき、テーブルの上に誰かが置いていったしわくちゃのレシートがあるのに気がつきました。けれども、それが何かを意味しているとは思いませんでした。私が支払いをすませカフェを去ろうとしたとき、後ろからウエーターの声がしました。私が何か置き忘れたと言うのです。先ほどのレシートでした。近くの書店のもので、自分とは関係のないレシートだったのですが、何の気なしに言われたとおりに受け取りました（先ほど言いましたが、宇宙からの合図を認識するには、私はまだ未熟だったのです）。

それから少しして、通りかかりの人に道をたずねられました。しかし、私はその通りの名前を知りませんでした。ところが、二歩も歩かないうちに、その通りがレシートの本屋の通りと同じであることに気がついたのです。好奇心をそそられた私は、その本屋へ行ってみました。とても奇妙な店でした。ショーウインドーには仏具の鈴が飾ってあり、中に入るとお香の煙がほのかに立ち上っていました。それは、ミュンヘンではじめてできたスピリチュアルな書籍の専門書店だったのです。それまで、そのような店があることすら私は知りませんでした。しかし、後に私はこの店の常連になるのでした。

私は自信なげに、本棚に沿って歩いていました。そこにあったのは、これまで一度も聞いたことのない作家の本ばかりでした。私には、どの本を買ったらよいのかも、どうして自分がこの店にいるのかもまったくわかりませんでした。すると、こっけいともいえるカラフルな綿のパンツをはいた、短髪の女性が振り返り、私に言ったのです。

「この本は読んだほうがいいわ。すばらしい本よ」

彼女は自信満々の顔で微笑むと、棚の中にあった一冊の本を指差しました。

興味があったわけではないのですが、彼女への礼儀として、私はその本を買いました。

すると、この本が私の人生を根本から改めてくれたのです。それは、『意識レベルを高めるためのハンドブック（Handbook to Higher Consciousness / Ken Keyes, Jr.）』（ケン・ケイエス・ジュニア著／邦訳未刊）という本でした。この本には、私の疑問に対するすべての答えが書いてありました。この本によって、私は自分の存在の意義を理解したのです。


これは実際に上手に願った結果で、この日の午後に崇高な力が私をこの本へと導いてくれたのでしょうか？

こんなとき、理性がどう働くは、もうおわかりですね。理性は疑いをかけてきて、すべては偶然が並んだだけだと絶えず主張するのです。

それからしばらくして、私は、この間の出来事が本当に願った結果なのか、確かめようとして、あのとき手に入れた本と同じくらい私の人生に影響を及ぼす本を、探すことにしました。

今度は、前回よりはっきりと大胆に願いました。その本をその日のうちに手に入れたい、と願ったのです。私は誰かがタイトルを伝えてくれるだろうと、期待していました。

さらに今回は、宇宙を手こずらせるために、私はわざと家から出ないようにしました。外に出たい衝動にもまったく駆られませんでした。

一時間後、私の所属事務所の女性から電話がありました。私がテレビドラマの台本をすでに読み終えたかの確認でした。もちろん読んでいない、そもそも台本が手元にない、と伝えると彼女は驚いて言いました。私はもうとっくに台本を読み終えていなければならない。この役は私の人生の最高のチャンスだ。今すぐ自分のところへ台本を取りに来るように、と。

台本を取りに行った帰り道、私は不意にさっきの願いごとを思い出しました。このドタバタですっかり忘れていたのです。しかし、こうしてみているかぎりでは、宇宙も私のことを忘れているようでした。さて、私の本はどこにあるのでしょう?

その日の午後、私は散歩に出かけました。もちろん私はアンテナを張っていました。もしかしたら、また誰かが私に知らせてくれるかもしれないし、誰かの言葉の中に本のタイトルが隠されているかもしれない、と思っていました。

けれども、何も起こりませんでした。私はベンチに腰を下ろし、台本を読みはじめました。すると、小さな少年が目に入りました。少年はある店の前で、泣いていました。ドアを開けようとしたのですが、開かなかったのです。私がドアを開けてやりました。そこは本屋でした。スピリチュアルなものを扱った書店ではありませんでしたが、レジの横から三歩も離れていないところで、私ははっとさせられました。一冊の本が私を見つめていたのです。『人生の達人になるための台本（Winning Through Enlightenment / Ron Smothermon）』（ロン・スマザーモン著／邦訳未刊）と題されたその本は、それから一年以上にわたって、私に付き添ってくれることになりました。著者のロン・スマザーモンが、私のために特別に書いてくれたのではないかと思うような本でした。

事務所の女性は言わなかったでしょうか？　台本を読むように。それは私の人生の最高のチャンスなのだ、と。

願いはいつでも届けられます。私たちが受け取りそこねても、「小包」は最後まで私たちを追いかけてきてくれるのです。でも、なるべく早く願いを受け取りたいのなら、私たちはアンテナを張りめぐらしておかなければなりません。

★第七の法則

本当に
大切な願い
を見つける

★かなえられた願いによって私たちの人生が変わる

★探さずに待っていれば物は自然と私たちのほうへやってくる

★心から自分が欲するものが何なのかを考え直してみる

★それぞれの願いには、自由な意志が存在する

★「上手に願う」ことは、奇跡のすべてを受け入れる準備をすること

私たちは一人ひとり性格が違うように、願いもさまざまです。

上手に踊れるようになりたいから、あるいはやっと時間ができたから、ダンスを習いたいと思っている人もいれば、自分には真の友人がいないと感じて友人を探し求めている人もいます。またある人は、理想的なパートナーとの出会いに憧《あこが》れています。

願いには大きいも小さいもありません。これは重要だけど、それはたいしたことない、と比べるものでもありません。願いが理にかなっているかどうかも、関係のないことです。どんな願いも、私たちの弱いところを示しているだけなのです。

願いがかなえられることは、すでにお話ししました。次に問題となるのは、願いがかなえられれば、私たちの不満もなくなるのか、ということです。すぐにまた別の不満が出てくることはないのでしょうか？　根本的な問題は、「私たちの人生におけるこれらの不満は、何を意味しているか？」ということです。

私たちが望んでいるのは、人生を変えることです。気に入らないことを変えたいけれど、どうしたらいいかわからないから、願うのです。たいていの場合、願いがかなったら実際どうなるのかも、わかっていません。変化がもたらされると、人生は本当によくなるのでしょうか？

自分にふさわしいことを願う

自分にふさわしいことを願う。これは願ううえで、とても重要なことです。自分の性格や能力に合っていないことを望むのは、意味のないことです。それでも、ほとんどの人は身分不相応のことを願ってしまいます。しばしば、他人が望んでいるから、あるいは他人がもっていて自分にないから、という理由で何かを望みます。また、私たちは、自分にまったくふさわしくないものを追いかけていることがよくあります。

他の人が「素敵」だと思っていることが、私たちにとってもそうだとはかぎりません。そして、もしそのふさわしくないものが届いてしまったら、どうするのでしょうか？　私たちには、まったくそぐわない願いが実現してしまったら？

何かを願う前に、自分の人生に本当に必要なものは何か、を明確にする必要があります。その願いがかなえば、私たちは本当に満たされ、まわりの人からも愛され、幸せになれるのか、とよく考える必要があります。

願いがかなえられたために、思ってもみなかったことが起こることも多々あります。夢見た仕事は自分には荷が重すぎるかもしれませんし、子どもを欲しいと思っていたら授かる時期が早すぎてしまったり、引っ越しを望んだ結果、友人を失うかもしれません。**かなえられた願いによって私たちの人生は変わるのです。**

私たちは本当に、変化と、それによってもたらされる状況を、受け入れる準備ができているのでしょうか？　ドラマに出てきそうな情熱的な恋愛関係に陥ったとしても、自分にはもったいないと考えてしまうかもしれません。この恋も、いつかは終わりが来てしまうかもしれないと考えて、不安に陥ってしまうかもしれません。大きな車を望んで、たとえ願いがかなったとしても、乗りこなせなかったり、大きすぎて適当な駐車場が見つけられないかもしれません。また、名声を手に入れた結果、周囲の注目を浴びるようになり、その状況にうまく対処できなくなってしまうかもしれません。

かなえられた願いが、必ずしも本当の幸せをもたらすとはかぎらないのです。ですから、大きな願いに挑戦する前に、自分はそれによって何を期待しているのかを、きちんと認識しておく必要があります。

かなえられた願いの一つひとつによって、私たちの生活が変わっていきます。ですから、私たちはこの変化を受け入れる準備ができているのかどうかを、よく確かめるべきです。

私たちの願いがかなっても、私たちは、新しい状況に応じる能力がまったくないかもしれないのです。

たくさんのお金を手に入れる

たとえば、たくさんのお金を手に入れるとどうなるでしょうか？　家を買うことができると同時に、今住んでいる環境を手放すことを意味しているかもしれません。また、お金のために働く必要がなくなった、という理由で仕事を失うかもしれません。仕事をしないですめば、一日中、自分の好きなように過ごせますが、はたしてそれで本当に楽しいのでしょうか？　もしかしたら、かつての家を、隣人を、あるいは同僚を懐かしく思うかもしれません。

たくさんお金を手に入れたい、と願うのは自由です。ただ、どんな願いにも結果がついてくる、ということをはっきりと認識する必要があります。ですから、理想の生活を実現するための条件を考えることのほうが、重要なのです。なぜなら、お金をたくさん持っているだけで、必ず幸せになれるとはかぎらないからです。宝くじを当てて億万長者になっても、その後何年もしないうちに、当選前より貧しく、不幸になっている人はたくさんいます。

そこで、私とミヒャエラは、宇宙と小さな取り決めをしました。

宇宙との取引

一年間に車が二台も当たったとき、私たちは「上手に願う」ことに心から感動しました。しかし、どうしていつもリクエストは一つずつ発信されるのでしょうか？　定期購買のように、予約しておくことはできないのでしょうか？

私とミヒャエラは、車が当たったあと、すぐに、今後必要なお金は得られますように、と願いました。とにかく、お金は常に必要です。といっても、働く気を失ってしまうほどたくさんの量は、必要ありません。しかし、少なすぎてもいけません。生活するのに十分な額でなければなりません。欲しい物を手に入れられるくらいの量です。

それは、宇宙との取引のようなものです。私たちはできることをやり、後はなりゆきに任せます。すると宇宙が、定期的にお金が入ってくるように、うまくやってくれるのです。

探さずに待っていれば物は自然と私たちのほうへやってくるのです。

そのことに気づいて以来、私たちはお金に困ったことは一度もありません。お金のほうから、私たちの元にやってくるのです。ときにはまったく予期せぬ方法で。

願いはじめると、すぐに次のことがはっきりしてきました。

①たくさん働けば、その分裕福になれるわけではない。
②願って信じることで、裕福になれる。
③本当に心を開いて、願いを受け入れる準備ができるのは、誰にでも裕福になる権利があると納得したときだけ。

しかし、お金があることは、裕福になるための一つの要素でしかありません。本当の豊かさとは、お金を超えたところにあります。ですから、本当の意味で幸せになるには、たとえば次のようなことも考える必要があります。

- 健康
- パートナーとのすばらしい関係
- 仕事の充実

・真の友人
・自分自身と他人のために十分な時間が割けること
・心の平安

こうして思いつくままに書き出してみると、項目はどんどん増えていき、長いリストになるはずです。重要なのは、本当の豊かさは、お金だけで買えるものではないということです。強欲な悪魔「マンモン」（キリスト教における「七つの大罪」の一つ、「強欲」を司《つかさど》る悪魔）にもたとえられているとおり、お金は汚らわしいものとされています。しかし、人生における喜びや自由な心を得るために、お金を願う価値は十分にあるのです。

憧れの関係をお願いする

喜びも悲しみもともに分かち合える、私を理解してくれる、私を愛し、受け入れてくれる、そんなパートナーを見つけることは、おそらく私たちの、もっとも大きな望みです。そのため、パートナーに関する願いは、私たちの人生に、もっとも大きな影響を及ぼす恐れもあります。ですから、パートナーが欲しいと思うときには、「私が本当に望んでいることは何か？」つまり、その人がどのような性格の持ち主であるべきかを考えることが大切です。**心から自分が欲するものが何なのかを考え直してみるのです。**

少なくとも、「どうして私はパートナーが欲しいのか？　その人に期待していることは何か？」というパートナーを必要とする理由を知ることはとても大切です。たいていの場合、私たちが欲していることは、実際には自分に欠けていることなのです。

たとえば、「無条件に私を愛してくれる人」を願うとします。それは実際には、「私は愛されない」「私は魅力的でない」「私は自分自身を愛していない」ということを意味します。無条件に愛してくれるパートナーを探している人はたくさんいますが、それは自分自身を愛していないことの裏返しなのです。

自分の本当の願いを実現させようとするならば、次のように述べられなければならないのです。

「ありのままの私は魅力的。私は自分の欠点のすべてを受け入れ、あるがままの自分を受け入れます。私と同じ人はこの世に一人もいません。私は見た目も美しく、日ごとに自分自身を好きになっていきます。自分を愛しているので、私に対して同じような思いを抱いている人を、自然とひきつけます。開け放たれた私の心は、自分自身への愛と、他人からの愛を受け入れる準備ができています。それを邪魔しようとするものには、もはや力を与えません。私の中には、愛のエネルギーがみなぎっているのです。私の心は開かれ、パートナーを受け入れる準備もできています」

単に自分を愛してくれる人が現れることを願っても、自分自身を受け入れなければ、自分に向けられる愛を受け入れることはできないでしょう。心の準備が整ってはじめて、必要なことを受け入れられるのです。そうなると、もはやパートナーを探す必要はなくなります。逆に向こうが自分を見つけてくれます。なぜなら、**物事は、受け入れる準備ができている人のところに、自分からやってくるからです。**

といっても、まったくうまくいかない願いも存在します。

たとえば、相手の意志に反するような願いは、強制することができません。ですから、誰かを自分に恋させることはできません。つまり、他人を私たちの思いどおりにすることは不可能なのです。**それぞれの願いには、自由な意志が存在するのです。**

そうでなければ、誰かが願ったために、私たちはやりたくもないことをしなければならなくなってしまいます。

では、自分を愛してくれる人をどのように見つけたらよいのでしょうか？

上手に願った場合には、自分にふさわしいのはこの人だ、と理性が私たちに思い込ませている、自ら選んだ人を手に入れることはけっしてありません。けれども、自分と同じ波動をもち、自分の愛にこたえてくれる、自分にふさわしい人物と出会うことができるでしょう。

幸せな関係を築く

「幸せな関係を築く」という講演会で、私は次のような質問をたびたび受けました。

「真のパートナーと知り合い、その人とともに人生を送るにはどうしたらよいのでしょう？」

答えは簡単です。ところが、単純すぎて、多くの人にとっては、とても難しいことになってしまっています。実際には、私たちが考えているほど、多くのことをする必要はないのです。要は、せかせかと慌てふためいて、パートナーを探すのをやめればいいのです。そのような行動をとるのは、自分の願いをまったく信じていない証拠です。心の奥で、もう誰も見つからないだろうと確信しているので、たとえ見つかっても、「真の人」ではないと思ってしまうのです。「探す」は、「見つける」と反対の行為です。何かを見つけるには、目と心を開き、それを受け入れる準備をすることです。**「上手に願う」ことは、奇跡のすべてを受け入れる準備をすることなのです。**

いずれにしても、探しているうちは、それがやってきても気がつきません。なぜなら、私たちは自分が思い描いた人しか探していないからです。私たちは、意識の中で描く理想の人が現れるのを、絶えず期待しているのです。おそらく、欠点のない人をイメージしているでしょう。でもそれは、ただの希望的観測です。そんな人は存在しません。そのような人は、自由自在にあやつれる、私たちの空想の世界にしか存在しないのです。

私たちは自分に合う人を探しています。その人は私たちと似たような短所をもった人でしょう。要するに、私たちは自分自身を探しているのです。なぜなら、結局のところ、私たちは愛するパートナーの中に、自分を映し出そうとするからです。その人は自分に似ているべきなのです。その人は自分とともに成長し、似たような目で世の中を観察するべきなのです。その人は、誠実さ、家族、愛、それに信仰や人生の役割などについて、自分と似たような考え方をするべきなのです。

ですから、空想は、パートナーを探す際には、何の助けにもなりません。しつこく探しつづけても同じことです。真の愛を得るどころか、むしろパートナーを見つける妨げになるでしょう。

重大な願いを送り出す前に、本当に欲しいことをはっきりと認識するべきです。もう一度言いますが、リクエストするのは難しいことではありませんが、私たちの人生にとって、大きな意味をもっています。なぜなら、まちがった願いを送ってしまうと、本当は望んでいなかったことが実現されてしまうからです。

にもかかわらず、私たちは「真の」パートナーへの願いを具体的にイメージしないことがよくあります。どんなパートナーが本当に合っているのか、じつはまったくわかっていないのです。パートナーに求めるものを具体的に考えもせず、ただ漠然とパートナーが欲しいと思っているだけなのです。しかし多くの場合、その背景には、ひとりでいたくないという、まったく別の願いが潜んでいます。

ですから、願いを発信する前に、自分の人生の傍らに本当にいて欲しいパートナーはどんな人なのか、はっきりとさせておくべきです。

その際に助けとなるのが、私の著書『愛のための幸せの法則（Glücksregeln für die Liebe）』（邦訳未刊）の中で紹介したリストです。ここでは、要点だけをかいつまんでお話ししましょう。このリストを使えば、私たちがパートナーに期待していること、自分がパートナーに与えられることがはっきりし、どんな人が自分に合っているか、すばやくわかります。私の講演や集会では、よくこのリストを使います。そうすると、すぐに驚くほどわかりやすい結果が表れます。

「真」のパートナーが欲しいときは、宇宙にお願いする前に、パートナーとどんな関係を築きたいのか、はっきりさせる必要があります。そこで、このリストが生まれました。私自身が、たくさんの迷いや失敗の後で、未来の人生のための真のパートナーを欲しいと思ったときに、この方法を考えついたのです。

そのころ、私はしばらくの間、家に引きこもり、どんなパートナーが本当に自分に合うのか見つけ出そうとしていました。理想像をはっきりとさせるために、私はさまざまな方法を考え出し、「どんな人が本当に自分に合っているのか、どうやったら一番よくわかるのか?」という疑問をひたすら追求していたのです。

そのとき、私はリストをつくることを思いつきました。

まず、一枚の大きな紙に線を引いて二等分し、片方のマスに、将来のパートナーによって「与えてもらいたいこと」を記入しました。このマスはすぐ、いっぱいになりました。これで、私の願いと憧れのすべてが、この中に入ったわけです。

もう片方のマスには、私がパートナーに「与えることができること」を書き入れました。

すると、こちら側は先ほどよりはるかに少なかったのです。

誰かと関係をもとうとするとき、自分が与えられないことを、他人から与えてもらうことはできないと気がついた私は、欠点を補い合って、ともに成長できるパートナーを探すことにしたのです。

さて、私の将来のパートナーがどんな人であるべきか、だんだんはっきりしてきたところで、私はその条件をすべて一枚の紙に書き、自分にとって特別な場所に置きました。

すると、願いがかなえられました。驚くべき方法で……。

真のパートナーを手に入れる

私は、自分のパートナーへの願いを、何週間にもわたって細かく考え、自分でつくり出したリストを手がかりに願いを仕上げました。どんなパートナーが自分に一番合っているのか、確信をもってから、願いのリストを宇宙にゆだねたのです。

そのとき、このことだけははっきりとわかっていました。私の願いはかなえられる、と。

しかし、実際には、そう簡単にはいきませんでした。というのも、このころ、私は何か月も自分の家に閉じこもっていたからです。外出といえば、ベルリンの目抜き通りクーダムにある劇場の舞台に一晩に二時間立っていたのと、同僚に無理やり連れていかれたパーティーぐらいでした。

こんな状態なのに、宇宙に、どうやって私の願いをかなえろというのでしょうか？

それから何週間かが過ぎたとき、電話が鳴りました。電話をしてきたのは、パーティーの席でいっしょに話した女性でした。けれども、私は彼女のことをほとんど忘れてしまっていました。覚えていたことといえば、ブロンドの髪で、ほっそりとしていて、分厚いめがねをかけていたことくらいでしょうか。しかし、私たちはこの一回の電話でお互いのことがよくわかり、四時間も語り合ったのです。さらに翌日は七時間も長電話をしました。でも会うことはできませんでした。当時彼女はブレーメンの劇場で働き、私はベルリンの舞台に立っていたからです。特急列車を使っても三時間はかかる距離でした。二日間の電話で深く理解し合った私たちは、さらに次の夜も八時間語り合い、いっしょにバカンスへ行くことを約束しました。とても強い絆《きずな》で結ばれていると感じた私たちは、ついに翌日の電話でいっしょに暮らすことまで決めてしまったのです。ミヒャエラは献身的にもすぐに仕事をやめてしまい、自分の家の賃貸契約まで解約してしまいました。その次の日、私たちはたった一度パーティーで顔を合わせただけの相手との結婚を決意しました。

けれども、私たちはお互いを知らなかったのでしょうか？　ほとんど会ったことはなかったとはいえ、心の中はどんな細かい点にいたるまでも、理解し合っていました。私たちは何もかも語り合ったのです。二人の間に秘密は一つもありませんでした。まだ誰にも打ち明けたことのなかったことも、お互い知っていました。私たちは魂のすべてをさらけ出したのです。私たちは二人で一人。緊密な関係でした。

友人たちはみな、私の頭がおかしくなったと思っていました。彼らは、「だいたい、彼女とふれあったこともないなら、肉体的に君と合うかだって、まったくわからないじゃないか」と言って、私の気持ちを変えさせようとしました。しかし、この真実の大きな愛をつかむチャンスを逃したら、一生後悔するだろうと、私にはわかっていました。何かにつまずくたびに、このチャンスをつかめなかったことを思い出すだろうと確信していたからです。

そもそも、私がどんな危険に足を踏み入れようとしているというのでしょう？　もし、私とミヒャエラが肉体的に理解し合えなかったとしても、親友にはなれるはずです。なぜなら、精神的には私たちはすでに結ばれていましたから。

彼女も私と同じように考えていました。彼女は私と同じ視線で世の中を見ていました。

私と同じ憧れと希望を抱き、私と同じように、パートナーとともに自分の欠点をすべて克服し、自分自身を向上させる心の準備をしていたのでした。

その後さらに電話をかけ合い、六週間たったある日、私は引っ越し用の車で彼女を迎えに行きました。家の前で彼女をはじめてじっくり見たとき、この上なく幸せな気持ちになりました。「なんて運がいいんだ!」と思いました。ミヒャエラは、私が想像していたよりずっと美しい女性だったのです。

驚いたことに、後で私が理想のパートナーを記したリストを読み返してみると、ミヒャエラはリクエストの一つひとつに当てはまっていました。

もちろん、リクエストに書き出さなかった願いがかなえられることもあります。実際、すべての願いを一つひとつ紙に書き出すことはできませんから。しかし私の場合、これまで紙に書いた願いはすべてかなえられてきました。

ただの偶然だと思っていませんか? まだ偶然だと思っているのでしたら、それでもかまいません。ただし、夢を実現させるのによけいなエネルギーを使うことになります。けれども、「上手に願う」ことができれば、もっと簡単に自分の人生を決定できるのです。

私の体験からもよくわかるように、願ったことがどのような形でかなえられるかを決めつけて、期待してはいけません。

そうではなくて、心の準備をしていることが大切なのです。新しいパートナーは、出合い頭にぶつかる人かもしれませんし、事故の相手方かもしれません。さらには、私たちを訴える人物であることだってありえるのです。願った人と素敵な出会いができるとは、かぎりません。確かなのは、願った人が何らかの形で、私たちの注意をひきつけるということだけです。

現在、幸せな夫婦でも、出会った当初はそれほど好きではないけど、関心がなかったわけでもない程度だった、というケースはよくあります。もちろん、とてもロマンチックに事が運ぶこともありますし、出会いの瞬間から、この人こそが人生のパートナーであるとわかり合っているカップルもいます。

大切なのは、どのように事が運ばれるべきかを決めつけてしまわないことです。そうでないと、宇宙が願いを届けようとしても、私たちはまったく気がつかないのです。

よく質問されるのが、ミヒャエラも、私と同じときに、真のパートナーについてのお願いをしたのか、ということです。

いいえ。彼女は願ってはいません。けれども、心を開いて、自分自身を受け入れようとしていました。

もちろん、彼女は拒否しようと思えば拒否できました。だとしたら、私の願いはとても奇妙な形で届けられることになったでしょう。「ここに、君にぴったりの最高にすばらしい女性がいる。けれども彼女はまったく君を受け入れる気がない」という状態です。

しかし、宇宙はけっしてそのような形で願いを届けることはありません。ミヒャエラは心を開き、準備をしていました。そして、私はそのような状態にある、理想的なパートナーを探していたのです。

ところで、容姿や性格など、思い浮かぶすべての条件を願うことは可能です。けれども、それがかなえられたところで、自分がそのパートナーとともに幸せになれるという保証はありません。なぜなら、その願いによって、重い荷物を背負い込むことがあるからです。

想像してみてください。理想のパートナーは筋肉質のスポーツマンタイプで、とてもハンサムであるとします。そうすると、この将来のパートナーはスポーツに対してはとても積極的で、自分のパートナーもいっしょに鍛えてほしいと思っているかもしれないのです。このことも計算に入れなければなりません。あなたもいっしょに鍛えたいですか？

あるいは、ベッドの中では激しく、性欲の旺盛《おうせい》なパートナーを望むとします。これは男の夢ですね。しかし、これが現実になると、一転して悪夢になってしまうこともありえるのです。

もし、あなたが一か月後には相手ほど性欲がなくなってしまったら、あるいは相手のテンポについていけなくなってしまったら？　あなた自身が他のことに興味をもってしまったらどうでしょうか？　あるいは、ベッドの中ではもう与えられないから、捨てられるのではないか、と心配しなければならなくなったらどうでしょう？　自分には十分な能力がない、と不安になるかもしれません。

とても美しいパートナーを望む一方で、自分自身はそれほど美しいと感じられないのであれば、すぐにコンプレックスをもつようになってしまうかもしれません。

つまり、自分に欠けていることを願うのは、とても危険なのです。願いはかなえられます。けれども、それが私たちにとっても最高の結果をもたらすかどうかの保証はまったくありません。

ですから、パートナーを願うときには、どんなパートナーをひきつけたいか、徹底的に考えるべきなのです。

★エピローグ

本当に幸せな人生

★何かを手に入れたところで、私たちの心の状態は変わらない

★一人で必死に努力しないで、宇宙と手を組もう

上手に願えば、幸せになる

上手に願えば、もっと幸せになるのでしょうか?

必ずなります。ただし、理性が思い描くのとは違った形で。

幸せは、心の安定であり、実際に経験する出来事とはほとんど関係がありません。お金がないから、パートナーがいないから幸せを感じることができないという人は、それらが手に入ったとしても、必ずしも幸福にはなりません。

よく考えてみると、お金やパートナー、名誉を手に入れているのに、いつまでも機嫌が悪かったり、不幸な人がいることに気づくはずです。

私たちは自分以外のことによって、幸せを感じるわけではないのです。

幸せは外から受け取るものではなく、自分の中からわき出てくるものです。つまり、自分の中に満たされた気持ちがなければ、幸せとはいえないのです。そのとき、自分が広いお屋敷に住んでいようが、狭いアパートに住んでいようが、まったく問題ではありません。どちらの場合でも、幸せにも不幸にもなりうるからです。

幸せは、心の中の平穏から生まれます。幸せは、私たちが他の人と何かを分かち合おうとするときに、生まれるのです。

幸せとは、私たちの心の状態のことです。ですからそのときにパートナーがいることもあれば、いないこともあります。お金があろうがなかろうが、家や名声を手に入れていようがいまいが、関係ないのです。それなのに、何か特定のものを所有すれば幸せになれるだろう、と思っている人はたくさんいます。しかし、何かを手に入れたり何かをしたからといって、それだけで幸せがもたらされることはありません。それなのに、私たちは、どうして自分が今こういう状況にあるのか考えようともせずに、ただそこから抜け出すことばかりに必死になります。また、私たちの無意識な願いや思いによって、好ましくない境遇がもたらされてしまったときにも、何か他のものを手に入れることで、その状況から脱しようとするのです。

しかし、**何かを手に入れたところで、私たちの心の状態は変わりません。**ですから、私たちは望んだ幸せの中にいても、不幸に感じるのです。これは真の幸せではない、といつも感じてしまうでしょう。

もうずいぶん前の話です。私は、お金、名声、職業上の成功、異性、健康など、すべてを手に入れていました。それなのに、幸せではありませんでした。毎日がむなしく、追いつめられていました。そのときの私は、他の人たちのほうが自分よりもうまくいっていると思い込んでいたのです。幸せになるためには、まだまだ足りないものがたくさんある、と。ですから、当時の私は、もっと成功し、もっとたくさんのものを手に入れ、もっと異性と夜をともにしなければ、と強迫観念にいつも駆られていました。そうしなければ、心から幸せになることはないだろう、と信じ込んでいました。しかし、この確信こそが、私を幸せから遠ざけていたのです。自分に欠けているものがあると思い込んでいた私は、知らないうちに、自分の幸せをはるか彼方《かなた》へ押しやってしまっていたのです。自分には何かが足りないと思い込んでいると、いくらたくさんの願いがかなえられても幸せは感じられません。私はいつも、どこか気持ちが満たさていなかったので、願いがかなえられても、それらは私には見合わないとか、かなうのが遅すぎたと思っていました。ですから、リクエストしたものが届いても、喜びや感謝の気持ちをもって受け入れることができなかったのです。なぜなら私は、他の人たちはもっとよい願いをかなえてもらったにちがいない、と思っていたからです。

私は幸せを探していました。けれども、外の世界にそれを求めれば求めるほど、どんどん自分を見失っていきました。そのころ、私は無意識のうちにこう考えていました。

「僕は幸せじゃない。僕の幸せは未来にある。幸せになるためには、もっと多くのことが必要だ」

そして、次の言葉で私は具体的にリクエストしていたのです。

「今のままでは、けっして幸せを感じることはできない」

私の基本的な姿勢は、不幸だったのです。これでは多くの願いがかなえられても、何も変わりません。

何かを手に入れなければ幸せになれない、という強迫観念から解放されたとき、私は深い満足感を得て、愛を見つけたのでした。

要するに、あのころの私が探していたことはただ一つ。自分には備わっていなかった、人や物事を慈しむ気持ちと、心の安らぎに憧《あこが》れ、自分以外のものの力を借りて、それを手に入れることを望んでいたのでした。

しかし、自分に愛や安らぎを与えることができるのは、まさしく自分自身だけです。残念なことに、**すべての願いがかなっても、私たちの幸せに対する考え方が改まることはけっしてありません。**今現在、幸せでない人は、どうやっても幸せにはなれないのです。たとえ、一時的にそう感じることができたとしても、その幸せは長くは続きません。なぜなら、それは本当の意味での幸せではないからです。

「上手に願う」ことで、私は幸せになったでしょうか？　なりました！　私の人生における願いがすべてかなえられたからではなく、自分の人生に対して意識的に取り組むようになり、自分の行動を信頼できるようになったからです。

何かを望む願いが実現される経験を何度もしたおかげで、この世で孤独に、必死になって努力する必要のないことを学びました。人知れぬ孤独な瞬間でさえも、私は満たされ、幸せです。そして、感謝の気持ちでいっぱいなのです。**一人で必死に努力しないで、宇宙**

と手を組むことが大切なのです。

愛を手に入れる

「上手に願う」ことにより、私の世界は大きく変わりました。私の経験、考え方、感覚、パートナーとの関係、そして自分への愛が、すべてを変えたのです。

私は「上手に願う」ことに助けられ、日を追うごとに自分と親しくなっていきました。かなえられた願いの一つひとつが、私の人生に本当に大切なことは何か、気づかせてくれました。何もかもを手に入れることができるとわかったとき、私たちは真実の願いを追求しはじめるのです。

そして、最後にたどり着くのは、私たちが探している愛です。私たちを幸せにしてくれるのは愛なのです。愛がすべてなのです。「上手に願う」ことは自分自身、そして他人に対する愛につながっていくのです。

ピエール・フランク（Pierre Franckh）
1953年、ドイツのハイルブロン生まれ。6歳で舞台に立つ。1964年、11歳のときにヘルムート・コイトナー監督による映画『Lausbubengeschichteh　わんぱく小僧物語』（日本未公開）に出演。これまでに数々の映画、200以上のテレビドラマなどに出演し、ベルリン、ミュンヘン、フランクフルトの舞台にも立ってきた。
2000年には映画『Und das ist erst der Anfang　そしてこれはただの始まり』（日本未公開）で監督、脚本家としてデビューを果たす。1996年からは執筆活動にも力を注いでいる。

中村智子（なかむら・ともこ）
1966年、神奈川県生まれ。法政大学法学部卒業。訳書に『ちいさなワニでもこころはいっぱい』（ダニエラ・クロート著／ソニー・マガジンズ）など。

宇宙に上手にお願いする法

2007年6月25日　初版発行
2007年7月20日　第3刷発行

著　者　ピエール・フランク ©
訳　者　中村智子 ©
発行人　植木宣隆
発行所　株式会社 サンマーク出版
東京都新宿区高田馬場 2-16-11
（電）03-5272-3166
印　刷　共同印刷株式会社
製　本　株式会社若林製本工場

ISBN978-4-7631-9737-5　C0030
ホームページ　http://www.sunmark.co.jp
携帯サイト　http://www.sunmark.jp